ESTRATÉGIAS DE ENSINO DE LÍNGUA PORTUGUESA E AS TECNOLOGIAS DIGITAIS DE INFORMAÇÃO E DE COMUNICAÇÃO

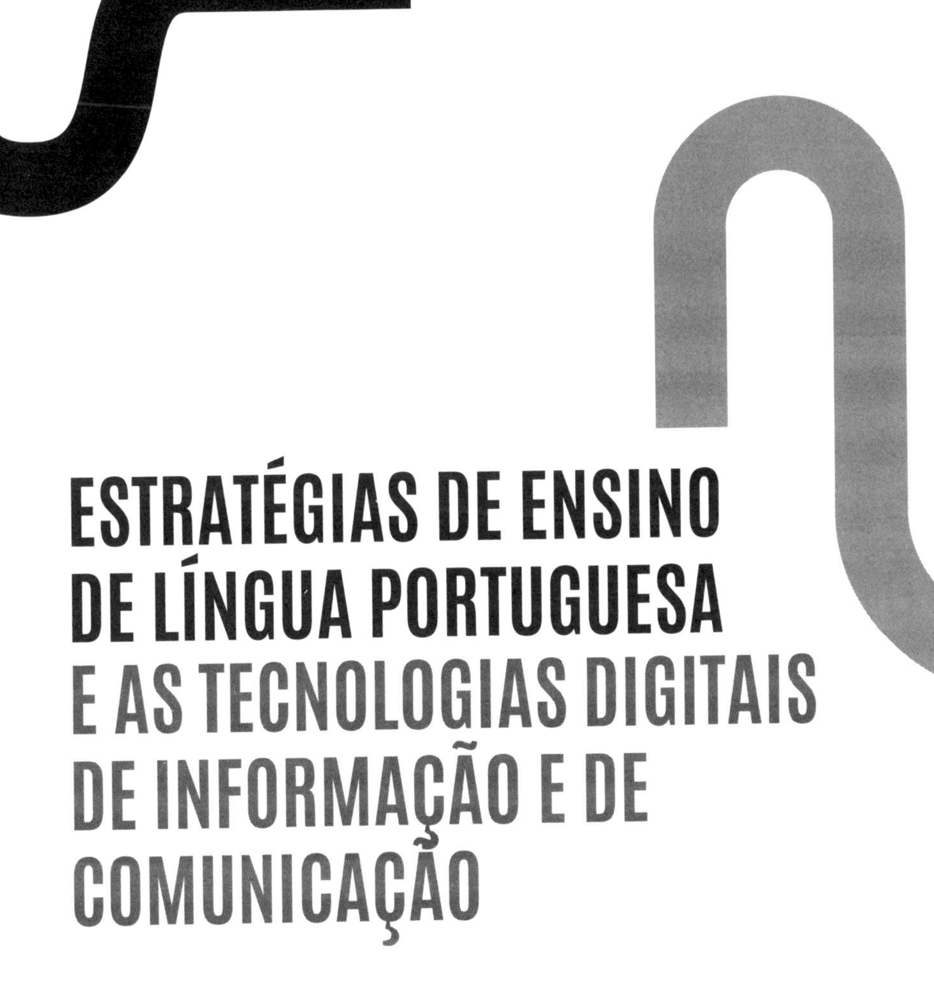

ESTRATÉGIAS DE ENSINO DE LÍNGUA PORTUGUESA E AS TECNOLOGIAS DIGITAIS DE INFORMAÇÃO E DE COMUNICAÇÃO

Maria Teresa Tedesco Vilardo Abreu
(Organizadora)

Projeto
Colli Books

Revisão
Karina Regedor Gercke
Marcia Benjamin
Luciana Paixão

Dados Internacionais de Catalogação na Publicação (CIP)
(BENITEZ Catalogação Ass. Editorial, MS, Brasil)

A146e Abreu, Maria Teresa Tedesco Vilardo
1.ed. Estratégias de ensino de língua portuguesa e as tecnologias digitais de informação e de comunicação / Maria Teresa Tedesco Vilardo Abreu. 1.ed. – Brasília, DF : Colli Books, 2022.
240 p.; 15 x 21,5 cm.

ISBN : 978-65-86522-92-1

1. Língua portuguesa – Estudo e ensino. I. Título.
08-2021/70 CDD 469.07

Índice para catálogo sistemático:
1. Língua portuguesa : Estudo e ensino 469.07

Bibliotecária responsável: Aline Graziele Benitez CRB-1/3129

Colli Books
Rua 9 Norte L. 05 – Bloco B –1504
Águas Claras – Brasília/DF – CEP 71908-540
E-mail: general@collibooks.com | www.collibooks.com

SUMÁRIO

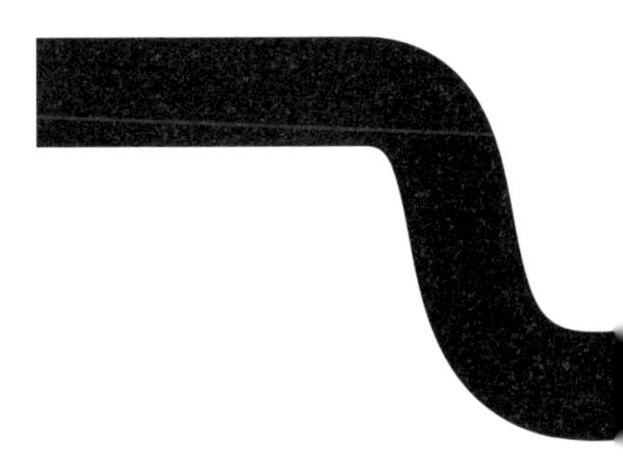

PALAVRAS INICIAIS

Não há novidade na necessidade contundente de discussões acerca do ensino na escola básica. O impressionante ano de 2020 agregou ao quadro conhecido por nós um fazer pedagógico mediado pelas tecnologias digitais. Pôs-se em discussão nossas práticas pedagógicas, tirando cada um de nós, docentes das disciplinas que compõem o currículo básico, da centralidade de nosso fazer pedagógico, das crenças que temos sobre o como ensinar. Tudo ficou muito diferente! Por isso, a produção deste livro se deve à necessidade premente de pensarmos sobre o ensino de Língua Portuguesa à luz dos acontecimentos de 2020, ano tão inusitado.

À primeira vista, pode ter parecido que fomos afastados de nosso dia a dia da escola, do contato com os nossos estudantes, de nossa rotina pedagógica. Sentiu-se o distanciamento educacional. Com a passagem do tempo – o nosso tempo letivo –, pudemos entender que a "janela para o mundo" estava escancarada para nos aproximarmos de nossos estudantes por meio das diferentes plataformas, nossas salas de aula virtuais. Sem o calor humano, sem aquela algazarra tão característica de uma escola, sem a alegria barulhenta e, por vezes, perturbadora da sala de aula.

Esse diferente nos fez encontrar os alunos de uma forma mais quieta, por vezes, não identificados. Mas podiam estar lá (Estavam lá?). Remotamente. Passamos a nos deparar com outras necessidades: como utilizar metodologias de ensino que possam (pudessem) fazer nossos interlocutores aprender.

Este livro trata das inquietações desse tempo: metodologias de ensino de Língua Portuguesa, reunindo práticas mediadas pelas tecnologias digitais de comunicação. Onze docentes que atuam, também, na escola básica, se dispuserem a compor esta obra que apresenta reflexões e práticas pedagógicas realizadas em sala de aula nestes tempos de pandemia.

É preciso registrar os pontos em comum que envolvem cada estratégia aqui exposta. (I) Os professores acreditam no processo de aprendizado dos estudantes, estando esses na posição de protagonistas de seu processo. (II) As estratégias metodológicas apresentadas não têm a pretensão de ser um modelo preestabelecido, o que iria contra a base epistemológica que sustenta nossa elaboração, qual seja a constituição do ser e dos discursos na relação com o outro (BAKHTIN, 2011). (III) Entendemos que o processo de ensino e de aprendizagem da Língua Portuguesa deve partir do texto para o texto, compreendendo ser esta a materialidade do discurso, os gêneros textuais. (IV) Temos o entendimento de que essas tecnologias funcionam como suporte de diferentes gêneros textuais, por isso os textos podem ser ressignificados, sendo, portanto, imprescindível a inserção desses novos gêneros em aulas de Língua Portuguesa.

Existem diferenças entre as estratégias pedagógicas apresentadas. Essas se concentram no processo de autoria que cada capítulo apresenta, que guarda as escolhas de cada autor, além de, claramente, assegurar o "estar à vontade" com a estratégia escolhida. Por isso, para nós, apreciar a leitura dessas estratégias é entendê-las como possibilidades metodológicas.

Entende-se, ainda, que essas atividades estão estreitamente ligadas com o pressuposto das tecnologias da

Base Nacional Comum Curricular (BNCC), o que pode representar um grande avanço no pensamento sobre nossas práticas pedagógicas. Acreditamos que as novas tecnologias podem traçar um caminho prático e coerente com as diferentes realidades e as práticas cotidianas do ensino de Língua Portuguesa em nosso país.

Por fim, não podemos deixar de fazer um agradecimento especial à bolsista de Iniciação Científica, Thais dos Santos Andrade Pinho, estudante do primeiro ano de Graduação do Curso de Letras da Universidade do Estado do Rio de Janeiro – UERJ, pessoa central nos ajustes de formatação desta obra. A você nosso muito obrigada, na certeza de que sua vida profissional começa em uma escola mais tecnológica.

Profª. Dra. Maria Teresa Tedesco Vilardo Abreu

Professora Associada de Língua Portuguesa
Universidade do Estado do Rio de Janeiro (UERJ)

OS OPERADORES ARGUMENTATIVOS NA CONSTRUÇÃO DISCURSIVO-ENUNCIATIVA: AS NOVAS TECNOLOGIAS E O ENSINO DE LÍNGUA PORTUGUESA

Ana Carolina Conceição Mattos Nascimento Nóbrega

INTRODUÇÃO

O ensino de Língua Portuguesa é objeto de reflexões e discussões que visam buscar um caminho que leve a escola, o professor e o aluno ao aprendizado e ao desenvolvimento das habilidades necessárias à formação de um indivíduo autônomo, crítico e reflexivo.

Os processos de ensino e de aprendizagem são complexos e demandam dedicação e busca pelo aprimoramento de ferramentas que os tornem concretos e possíveis ao aluno em suas diversas perspectivas e contextos.

A incorporação das tecnologias ao setor educacional ganhou força e visibilidade no final do século XX, embora o incremento das mídias na educação viesse acontecendo desde décadas anteriores. A popularização do uso da internet e o surgimento das Tecnologias da Informação e Comunicação (TICs) oportunizaram mudanças importantes na cultura, na economia e, principalmente, na forma como as relações sociais passaram a se estabelecer. As TICs buscam empregar e aprimorar o uso das tecnologias da informação que interferem ou mediam a comunicação interpessoal; elas são aplicadas em segmentos variados: nos setores de investimentos e negociações financeiras, na publicidade, na indústria, no gerenciamento do comércio e na educação, principalmente, em sua modalidade remota ou a distância.

A aplicação da Tecnologia da Informação e da Comunicação na educação surgiu no limiar dos séculos XX e XXI. A partir de então, os atores dos processos de ensino e aprendizagem se depararam com um grande desafio: como transformar um modelo de educação antigo e tradicional em um novo modelo repleto de ferramentas e recursos inovadores capazes de renovar os velhos paradigmas pedagógicos?

O ano letivo de 2020 trouxe à tona a necessidade de ressignificarmos as práticas pedagógicas vigentes até então. A pandemia da covid-19 impôs o afastamento social e o ensino na modalidade remota foi adotado na maioria das cidades do Brasil.

Escolas, professores, alunos – toda a comunidade escolar – viram-se obrigados a, repentinamente, traçar novos caminhos, novas estratégias e ampliar o conhecimento tecnológico para contemplar as novas configurações que se apresentaram a partir dessa nova realidade. Os ambientes virtuais de aprendizagem e todas as suas ferramentas passaram a integrar a rotina de professores e alunos.

Entendendo o interacionismo social e as práticas cotidianas em Língua Portuguesa como caminhos para o ensino, buscaremos traçar um percurso que ofereça ao professor estratégias e recursos que transformem seu esforço em resultados positivos e satisfatórios para a aprendizagem do aluno.

Este trabalho pretende apontar um trajeto para o professor de Língua Portuguesa, de modo que ele vislumbre como, na prática, o uso da tecnologia em sua rotina pedagógica pode viabilizar o ensino e a aprendizagem de Língua Portuguesa. Consideraremos, principalmente, o uso de aplicativos da plataforma *Google*, que é amplamente utilizada por escolas das redes pública e privada do país.

Para demonstrar esse caminho de forma dinâmica e concreta, tomaremos o ensino dos operadores argumentativos. Apresentaremos, a partir desse tópico discursivo, como a tecnologia educacional pode favorecer a trajetória pedagógica do profissional de Língua Portuguesa nos anos finais do Ensino Fundamental.

TECNOLOGIAS EDUCACIONAIS: CONTEXTOS E DESAFIOS

Lecionar é uma escolha que envolve dedicação, amor e empenho: renúncias, trabalho e aperfeiçoamento são palavras de ordem na vida de um professor. O novo contexto educacional que se apresentou recentemente mostrou como esses conceitos se tornaram primordiais.

Na Educação Básica, no ensino regular, percebemos as gerações atuais constituídas, predominantemente, por adolescentes e jovens já inseridos, de alguma forma, em uma cultura tecnológica. Segundo o texto da Base Nacional Comum Curricular (BNCC),

> [...] a cultura digital tem promovido mudanças sociais significativas nas sociedades contemporâneas. Em decorrência do avanço e da multiplicação das tecnologias de informação e comunicação e do crescente acesso a elas pela maior disponibilidade de computadores, telefones celulares, *tablets* e afins, os estudantes estão dinamicamente inseridos nessa cultura. [...] (BNCC, 2017, p. 57)

No entanto, estar imerso ou utilizar ferramentas como *smartphones*, computadores e *tablets*, por exemplo, não é sinônimo de dominar os recursos tecnológicos – *hardwares* e *softwares* – empregados na transmissão do ensino. Os alunos têm encontrado desafios que tornam o emprego das TICs um obstáculo não impeditivo, mas que requer o anseio pelo acerto e colocam à prova a determinação do aluno, que precisa acreditar em resultados satisfatórios e recompensadores.

Se ao professor foi imposta a necessidade de, além de superar as dificuldades renovar conceitos e ideias a fim de aprimorar seu trabalho – agora incrementado por variados recursos – ao aluno os desafios também se apresentam diariamente. Para o estudante as provocações surgem também de maneiras múltiplas: sinal de internet fraco ou intermitente, aparelhos celulares ou computadores de uso compartilhado na residência, falta de espaço adequado para concentrar-se nas tarefas ou, ainda, dificuldades socioeconômicas que se fazem presentes diante da diversidade social de nosso país. Os alunos privilegiados financeiramente gozam de recursos e reúnem algumas condições que favorecem a organização de sua vida escolar. Essas condições favoráveis, entretanto, não são a garantia de acesso nem de êxito na realização e cumprimento das atividades. Já aqueles que, por razões outras, não acumulam esses aspectos acabam sofrendo com a limitação no contato com essas modalidades diversas de ensino. De acordo com Barbosa e Prista,

> Na realidade brasileira, em face de sua marcante desigualdade social, o grande desafio reside na sua implementação na rede pública de ensino, uma vez que o atual estado de decadência desse sistema de ensino torna ainda menos propícia essa tarefa. [...] prejudicando a democratização do saber e, consequentemente, comprometendo sua meta original, [...] fazendo com que o educando enfrente problemas de aprendizagem. (BARBOSA; PRISTA, 2009, p.3).

A escola concentra, então, uma função fundamental: oferecer aos alunos o contato com as tecnologias educacionais de modo democrático e igualitário.

Ainda que, por vezes, no espaço escolar, seja encontrada alguma forma de resistência exercida pelos mais conservadores, os benefícios da implementação das tecnologias na educação já foram pesquisados e atestados por estudiosos em suas pesquisas acadêmicas.

A Base Nacional Comum Curricular (BNCC) prevê e orienta a utilização de tecnologias de modo crítico e responsável na escola a fim de que os estudantes conquistem autonomia e possam interagir conscientemente com o conhecimento e suas fontes. O texto da BNCC, no que se refere às competências gerais que devem ser desenvolvidas no ensino de Língua Portuguesa, declara que há desafios na formação das próximas gerações, entretanto ressalta que a escola mantenha vivo em suas práticas o "compromisso de estimular a reflexão e a análise aprofundada e contribua para o desenvolvimento, no estudante, de uma atitude crítica em relação ao conteúdo e à multiplicidade de ofertas midiáticas e digitais." (2017, p. 59)

Desta forma, o grande desafio da escola, independentemente de seu contexto socioeconômico, é fazer do aluno um indivíduo capaz de usufruir da tecnologia atuando com consciência e criticidade não somente no domínio escolar, mas também para além do espaço da escola, isto é, em suas práticas de vida cotidianas.

PROFESSOR DE LÍNGUA PORTUGUESA, QUE SORTE A NOSSA

Trabalhar com linguagens em sala de aula é desafiador seja na modalidade presencial, remota, híbrida ou a distância, empregando ou não as tecnologias educacionais. Entretanto, a aplicação de recursos e de ferramentas tecnológicas nas aulas de Língua Portuguesa tem um forte aliado: o texto.

A atual perspectiva do ensino de Língua Portuguesa ainda privilegia, de maneira recorrente, a aprendizagem de conteúdos gramaticais, entendendo e utilizando o texto como um ponto de partida para análises e classificações gramaticais formais, bem como para uma leitura superficial.

O professor de Língua Portuguesa precisa compreender que sua função extrapola a aplicação e a verificação de tópicos gramaticais: ele deve contribuir para a formação de alunos capazes de ler, escrever, falar e compreender a partir das diferentes situações comunicativas que se apresentam no cotidiano.

A concepção de língua precisa ser entendida em sua amplitude, porque é por meio dela que o indivíduo se realiza no mundo. A faculdade humana da linguagem permite ao sujeito comunicar suas ideias e sentimentos e é por meio da língua que essa faculdade é exercida. Por isso, pensar em língua, amplamente, é tão importante no contexto escolar. Essa importância é diminuída em simples e corriqueiras práticas vivenciadas na escola. O aluno, por exemplo, ouve muito mais do que fala. Essa dinâmica exerce sobre o aluno a ideia de que se expressar é algo reprimido. A voz do aluno se reduz a perguntas (quando acontecem), isto é, o estudante desde o início de sua vida escolar entende que se expressar formalmente é algo difícil ou que requer correção ou, ainda, permissão. Essa falta de espaço para falar, ler e construir os sentidos se reflete nas limitações qualitativas de leitura e produção de textos escritos.

Diante disso, em muitas salas de aula, o nosso grande aliado – o texto – acaba por perder espaço para práticas gramaticais mecanizadas. O aluno, ao iniciar suas produções escritas ou experiências de produção de sentido, recebe críticas e reprimendas que demonstram como o ensino de Língua Portuguesa ainda está limitado à transmissão de regras e aos conceitos de certo e errado.

Irandé Antunes em *Aula de português: encontro & interação* aborda a "reorientação ou mudança de foco daquilo que constitui o núcleo do estudo da língua. O que significa dizer que a escola não deve ter outra pretensão senão chegar aos usos sociais da língua, na forma em que ela acontece no dia a dia da vida das pessoas." (2003, p. 108-9). Devemos, pois, incentivar uma prática de ensino de língua reflexiva, que aprimore as competências e amplie as habilidades dos alunos para além da reprodução de regras. Na sala de aula de Língua Portuguesa, as atividades de leitura e de escrita costumam ter um caráter apenas escolar, cuja simulação não permite ao aluno vislumbrar uma situação prática, concreta e real de comunicação. A gramática normativa é demasiadamente valorizada e situações descoladas da realidade evidenciam o formato de ensino de língua que é perpetuado por gerações.

Sírio Possenti, em seu texto *Sobre o ensino de português da escola*, afirma

> Para que um projeto de ensino de língua seja bem-sucedido, uma condição deve necessariamente ser preenchida, e com urgência: que haja uma concepção clara do que seja uma criança e do que seja uma língua. A melhor maneira de fazer isso, sem ter que passar por uma vasta literatura de psicologia e de linguística, é tornar-se um bom observador do que as crianças fazem diariamente ao nosso redor. [...] Todos podemos ver diariamente que as crianças são bem-sucedidas no aprendizado das regras necessárias para falar. A evidência é que falam.
>
> Se as línguas são sistemas complexos e as crianças aprendem, de uma coisa podemos ter certeza: elas não são incapazes. (2012, p.33/4)

Os Parâmetros Curriculares Nacionais (1998) já apontavam para a necessidade de repensarmos os caminhos do ensino. O documento declara que nas décadas de 1960 e 1970 já havia estudos que indicavam a necessidade de reformular o ensino de Língua Portuguesa a fim de que fosse diminuído o foco dos estudos nos conteúdos gramaticais formais. No documento, há uma grande preocupação em respeitar as condições afetivas, cognitivas e sociais do aluno. A importância de fazer o aluno refletir sobre a linguagem e sobre a língua que utiliza para se comunicar é fundamental para cumprir o objetivo do ensino de Língua Portuguesa nos anos finais do Ensino Fundamental.

O professor precisa oferecer ao aluno a oportunidade de perceber que ele opera a língua, podendo fazê-lo a seu favor de forma consciente, isto é, ele deve entender que ser um falante não significa apenas utilizar o código linguístico, mas, principalmente, articular a língua e percebê-la como uma ferramenta capaz de demonstrar opiniões, modificar pontos de vista; perceber como "valores e saberes são veiculados nos discursos orais e escritos." (PCNs, 1997, p. 47)

A Base Nacional Comum Curricular (2017) veio explicitando, ainda, a necessidade de reformulações do campo do ensino, e declara que dialoga com as publicações e as orientações curriculares produzidas anteriormente que tinham o mesmo objetivo. É evidente que no lapso temporal entre essas duas publicações houve significativas mudanças e surgiram novas linguagens que modificaram e ampliaram as formas de comunicação em nossa sociedade.

Entre os PCNs e a BNCC há intenções e propostas muito similares – em ambos os documentos, o texto é consagrado como unidade central de trabalho em suas perspectivas discursivas e textuais.

Todavia, com o decorrer das décadas que perpassam a publicação dos PCNs e da BNCC, temos a percepção de que os objetivos fundamentais de ambos os textos perderam força. Embora as orientações presentes nos dois documentos sejam evidentes, vários aspectos podem explicar essa falência em suas intenções: formação docente pouco reflexiva, baixa remuneração do professor, pouco tempo para aperfeiçoamento e estudo, infraestrutura deficitária e aspectos externos à escola (violência, por exemplo), mas que influenciam diretamente na qualidade do ensino.

A BNCC revela que a perspectiva de ensino de Língua Portuguesa apresentada anteriormente ganhou nova roupagem à medida que as tecnologias digitais da informação e da comunicação se desenvolveram. Os caráteres social e interativo da linguagem estiveram e permanecem em destaque e são recebidos cada vez mais pelos estudiosos como caminho de tornar o ensino de língua acessível e capaz de desenvolver no aluno competências como o reconhecimento e a valorização da cultura, conhecimento das diversas manifestações culturais, defesa de perspectivas que preservem os direitos humanos, consciência socioambiental e consumo responsável e a compreensão sobre como empregar as tecnologias digitais de informação de maneira crítica, e reflexiva, dentre outros objetivos. (BNCC, 2017, p. 63)

Conhecemos o princípio que afirma que o texto somente se realiza quando se apresenta em condições concretas, isto é, é no contato com o leitor que o texto existe e se faz real. Mikhail Bakhtin afirma sobre o texto que "sua verdadeira essência se desenvolve na fronteira de duas consciências, de dois sujeitos..." (2003, p.311) É mister compreender, independentemente da teoria ou do teórico abraçado, que o texto acontece no contato com o leitor. São as experiências, as leituras e a bagagem dele que promovem, por meio da interação, a construção do sentido do texto.

Essas leituras e reflexões nos permitem entender que o texto, conforme preveem os Parâmetros Curriculares Nacionais e a Base Nacional Comum Curricular, deve ser a unidade central do trabalho do professor de Língua Portuguesa que deseja fazer da tecnologia da educação sua aliada na rotina docente. Será a relação texto-leitor (ou leitor-texto) que atribuirá ao ensino de língua seu caráter dialógico, amplo e universal. Entendemos, pois, que o texto é a forma mais eficiente de aliarmos as tecnologias da informação e comunicação ao ensino de Língua Portuguesa.

Diante do contexto multimodal de comunicação que se estabeleceu nas últimas décadas e do avanço das tecnologias na educação, o professor se percebeu diante de um desafio diário – incrementar sua prática pedagógica de modo a construir uma estreita relação entre o ensino de Língua Portuguesa e a tecnologia.

Abrimos essa seção destacando o lugar do texto como aliado do professor de Língua Portuguesa. Ele é o artefato que unificará elementos que, por muitas vezes, parecem tão distantes – ensino de Língua Portuguesa e as novas tecnologias.

Tomaremos como ponto de partida um importante aspecto gramatical: os operadores argumentativos. Essas estruturas são responsáveis por estabelecer as relações entre palavras, orações, períodos ou parágrafos de um texto; são elementos linguísticos responsáveis por indicar a argumentatividade dos enunciados. Ao desempenharmos, em sala de aula, uma abordagem real, acessível e concreta dessa classe, o aluno consegue alcançar as manobras discursivas e linguísticas possíveis, além de entender como em seu dia a dia a linguagem é lapidada e exercida amplamente.

No ensino formal de Língua Portuguesa (principalmente no Ensino Fundamental), os operadores argumentativos não são apresentados sob essa nomenclatura. As gramáticas escolares e as coleções didáticas propõem o estudo das conjunções (coordenativas e subordinativas) limitado à memorização desses conectivos e suas classificações. Entender o valor semântico e a argumentatividade que reside em cada um desses operadores é importante para que o aluno perceba a materialidade linguística se fazendo presente em situações reais de comunicação. A relação de sentido estabelecida e evidenciada pelas conjunções não se resume a tabelas ou às listagens. O contexto e a situação comunicativa são responsáveis por orientar o sentido e a intencionalidade discursiva presentes naquele trecho.

É nessa busca pela construção do sentido do texto, pela instituição do texto como objeto de estudo, de ensino, que exemplificaremos como as novas tecnologias podem favorecer o ensino de Língua Portuguesa e tomaremos como objeto o estudo dos operadores argumentativos sendo favorecido pela tecnologia e viabilizado pela materialidade textual.

Na seção seguinte, apresentaremos textos utilizados em aulas que desenvolvem a importância dos operadores argumentativos para a construção do texto e de seu sentido. A atividade sugerida pode ser realizada em todas as modalidades de ensino: presencial, a distância, remota ou híbrida, desde que, evidentemente, sejam utilizados recursos tecnológicos aplicados à prática pedagógica.

TECNOLOGIAS EDUCACIONAIS NA PRÁTICA: OS OPERADORES ARGUMENTATIVOS NA CONSTRUÇÃO TEXTUAL

Uma vez que nos aproximamos de questões importantes a respeito do ensino de Língua Portuguesa, das tecnologias da informação e comunicação e, ainda, do papel do texto unindo esses dois elementos, apresentamos uma atividade que pode servir de inspiração ou motivação para os professores que desejarem ampliar as possibilidades de trabalho na sala de aula de Língua Portuguesa.

Tomamos como início de trabalho a seleção de minicontos da escritora Marina Colasanti, publicados na coletânea *Hora de alimentar serpentes* (2013). Conhecida pelas dezenas de livros publicados para todas as faixas etárias, Colasanti aborda em suas obras temáticas variadas que permitem ao leitor construir sentidos profundos e reflexivos.

A escolha pelos minicontos se deu pelo alcance que os textos breves têm em sala de aula, principalmente considerando a mediação tecnológica ou ainda o ensino remoto ou a distância nos quais a atenção do aluno não consegue ser monitorada pelo professor por razões óbvias. Com textos curtos – o que não significa que sejam simples ou superficiais – o aluno pode se concentrar mais facilmente, atendendo aos comandos de questão e indução de raciocínio propostos pelo professor.

1. Atividade com o miniconto *A bela vista*

A bela vista

Mandou pintar o retrato da amada para tê-la sempre sob os olhos. Atrás dela, pediu ao artista uma janela à moda renascentista, com bela paisagem.

Foi por onde a amada se evadiu, quando não suportou mais ser tão olhada.

(2013, p. 173)

O professor pode usar a metodologia da sala de aula invertida: apresentar o texto aos alunos e pedir que eles façam uma leitura prévia, identificando possíveis marcas de tempo (operador argumentativo). Pode também o professor apresentar o texto no momento da aula, visto que a extensão do texto não compromete o tempo de concentração do aluno nem o tempo de duração da aula. Os alunos facilmente identificam a conjunção subordinativa temporal *quando*.

Utilizando o aplicativo *Classroom*, da plataforma *Google*, o professor pode postar o texto como atividade e com o aplicativo *Jamboard*, nesse caso, pedir que o aluno indique o valor semântico do operador argumentativo *quando*. O aplicativo *Jamboard* permite que o aluno faça (também) a atividade em aulas síncronas, isto é, aberta uma reunião ou como é chamado o aplicativo *Meet*, o professor compartilha o *Jamboard* com seus alunos, criando uma cópia para cada um, de modo que todos possam fazer a atividade no seu computador simultaneamente. A atividade pode ainda, ao final da execução, ser enviada ao professor que pode corrigir, caso não o tenha feito durante o tempo de aula.

Os alunos identificam o valor temporal do operador. A identificação se dá por meio da marcação de uma das opções apresentadas, conforme mostramos a seguir.

Figura 1 – Atividade no *Jamboard*

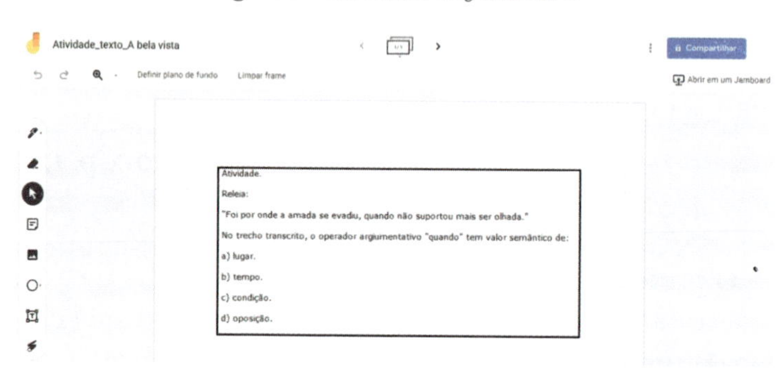

Uma observação apenas gramatical do termo destacado no texto encerraria sua leitura nesse ponto. Entretanto, o professor deve mostrar ao aluno como esse operador foi selecionado, empregado e a importância de seu aspecto sintático para a construção do sentido do texto. O emprego de *quando* em detrimento de outros operadores temporais destaca a noção semântica atribuída ao conectivo. Sua colocação no início da oração subordinada, que foi apresentada em segundo plano no período, sobrepõe ao valor temporal, o valor consecutivo. Essa possibilidade de construção de sentidos por meio de operadores argumentativos mostra como a língua pode aparelhar um texto com leituras amplas e variadas. Há a possibilidade de serem abordados outros aspectos semânticos de outros operadores argumentativos no mesmo texto, como o termo *para* na primeira linha do texto, destacando a ideia da finalidade das intenções do narrador do texto para com sua amada.

2. Atividade com o miniconto *Para começar*

Para começar

Desejou ter a beleza de uma árvore frondosa tatuada nas costas, copa espraiada sobre os ombros. Temendo, porém, o longo sofrimento imposto pelas agulhas, mandou tatuar na base da coluna, bem na base, a mínima semente.

(2013, p. 229)

Novamente a escolha de um texto breve viabiliza seu uso associado à tecnologia. O miniconto pode ser enviado aos alunos por meios diversos, como aplicativos de mensagens além do já citado ambiente virtual de aprendizagem do *Google*. O professor pode, na modalidade remota assíncrona, gravar uma videoaula pelo aplicativo *Meet*. Na videoaula, o texto pode ser lido e apresentado na forma escrita, por meio do compartilhamento da tela do professor, que permite aos alunos assistirem à gravação visualizando a leitura. Na videoaula, o professor aponta para o caráter discursivo-enunciativo do termo, *porém*, que aparece na terceira linha do conto. O referido termo marca não somente a oposição, mas as transições temáticas do texto e ideológica da personagem. Toda a descrição feita da suposta tatuagem ("árvore frondosa" e "copa espraiada sobre os ombros") é anulada pela imagem da "mínima semente". O operador argumentativo, *porém*, não marca, portanto, uma simples oposição de ideias como é descrito pelas gramáticas e coleções didáticas – ele é a marca da oposição temática do miniconto.

3. Atividade com o miniconto *Nem tanto ao mar, nem*

O texto a ser apresentado nesta atividade é um pouco mais extenso que os dois anteriores. Entretanto, sua transgressão, já aparente no título, alcança professor e aluno de modo ímpar. Comecemos com a leitura do texto, que pode ser feita em sala de aula – presencial ou remotamente – por meio de plataformas variadas.

Nem tanto ao mar, nem

Sempre acreditara ter nascido feio, embora nas fotos dos seus primeiros dias não parecesse nem feio nem bonito, um bebê apenas, como os demais. Com o passar do tempo, entretanto, o espelho lhe entregou uma imagem que considerou mais honesta do que qualquer fotografia. Era a imagem de um rosto sem harmonia ou elegância, troncho como se feito às pressas e deixado sem acabamento.

"Que feios são os humanos!", passou a repetir para si mesmo como forma de incluir-se na espécie, enquanto olhava as pessoas nas ruas e nas aglomerações, à procura de um defeito ou de uma desproporção que o reassegurasse.

A todos os que chegavam ao seu alcance encarava, olhos adentrando fundo nos olhos alheios, antecipando-se à expressão de desagrado com que esperava ser recebido.

Muitos acharam inconveniente essa quase invasão, e passaram a evitar novos encontros. Houve outros, porém, e não poucos, que interpretaram aquele olhar entregue sem defesa como a mais pura demonstração de sinceridade. Esses quiseram encontrá-lo novamente, e o fizeram amigo, considerando rara a sua sinceridade. Nunca o consideraram tão feio como ele acreditava. E só mais tarde perceberam que não era tão sincero.

(2013, p. 259)

A transgressão a que nos referimos no início da apresentação do texto é marcada pelo título: *Nem tanto ao mar, nem*. Inicialmente, estabelecemos relação do título com o provérbio (*Nem tanto ao mar, nem tanto à terra*), entretanto essa ideia é rompida, pois o dito popular não está completo no título do conto. Essa ideia de incompletude fica evidenciada pelo operador argumentativo "nem" que tradicionalmente apontado com valor semântico aditivo, perderia sua classificação gramatical tradicional em uma possível análise formal, visto que o segundo termo – que seria adicionado à ideia do primeiro – inexiste. O aluno, por meio do texto, consegue perceber que análises formais e meramente classificatórias se esvaziam em detrimento do sentido atribuído pelo enunciador.

A "imagem que considerou mais honesta que qualquer fotografia" é contrariada pela declaração feita no final da última linha do texto "E só mais tarde perceberam que não era tão sincero.". A oposição entre ideias que se estabelece é marcada, todavia, pela conjunção "e". Mais uma vez, a classificação gramatical não abarcaria a construção do sentido do texto. Por meio de um recurso chamado *Mentimeter*, um *site* que oferece a formulação de jogos de perguntas e respostas em diversas modalidades (múltipla escolha, respostas curtas, cronometragem nas respostas etc.), o aluno poderia, inicialmente, ter de classificar o operador argumentativo "e", para que o professor induzisse a turma a perceber que a classificação formal gramatical não é a única ou melhor forma de entender os mecanismos linguísticos que são aplicados. Veja nas ilustrações a seguir, como a atividade poderia ser proposta:

Figura 2 – Proposição da questão

Entre "imagem que considerou mais honesta" E "só mais tarde perceberam que não era tão sincero" qual relação de sentido é estabelecida pelo conectivo?

Figura 3 – Modo de apresentação do padrão de resposta

Entre "imagem que considerou mais honesta" E "só mais tarde perceberam que não era tão sincero" qual relação de sentido é estabelecida pelo conectivo?

4. Atividade com o miniconto *Debaixo da aba*

Debaixo da aba

Tirou o chapéu para cumprimentar aquela dama. E a cabeça foi junto.

(2013, p. 289)

Ao aluno, em uma aula remota síncrona, por exemplo, o texto pode ser apresentado por meio do compartilhamento da tela do professor. Esse recurso tecnológico é fundamental para que os alunos acompanhem a dinâmica da aula e possam realizar a atividade em tempo real com o professor e demais colegas de classe. Na modalidade presencial, o texto pode ser apresentado por um sistema multimídia de projeção (*datashow*). Em ambos os contextos, pode ser utilizado o aplicativo *Jamboard* (plataforma *Google*) para que o professor discuta com a turma entre as opções apresentadas, qual a relação argumentativa estabelecida pelo operador *e*. Veja a ilustração:

Figura 4 – Atividade *Debaixo da aba*

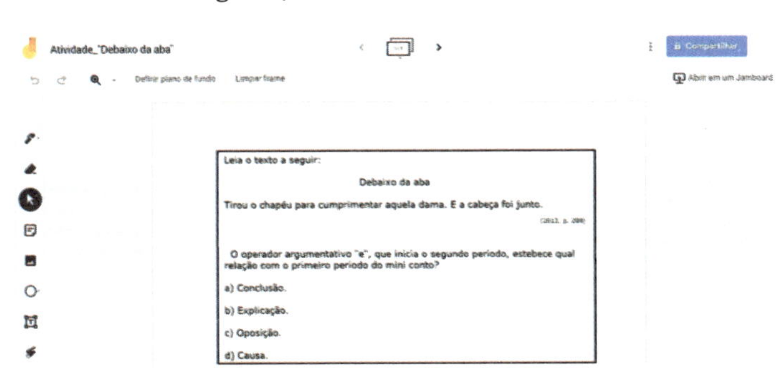

Na modalidade presencial, o professor pode ouvir os alunos, marcar a opção correta e discutir a questão semântica conjuntamente com a turma; na modalidade remota, o professor cria uma cópia para cada aluno, para que eles possam marcar suas respostas particulares e enviá-las ao professor no final da aula.

CONSIDERAÇÕES FINAIS

Após todas as reflexões feitas nesse trabalho sobre a aplicação de tecnologias no ensino de Língua Portuguesa, entendemos que os processos de ensino e de aprendizagem são complexos e a dedicação de seus atores é fundamental – professores precisam estar sempre em busca do aprimoramento de suas práticas; alunos devem estar sempre dispostos a superar as dificuldades e enfrentar os desafios que se apresentam; a escola precisa ser a fonte de renovação e o espaço de aprendizado para o aluno ao longo de sua vida escolar.

Incrementar o ensino de Língua Portuguesa com as Tecnologias da Informação e Comunicação é a porta para a criação de novos espaços e contextos de aprendizagem. É possível valorizar ainda mais a necessidade das reflexões a respeito do ensino de língua, evidenciando o professor como mediador do conhecimento em qualquer modalidade: presencial, remota, a distância ou híbrida – nada e nenhuma tecnologia surge para substituir o professor, mas para valorizar seu trabalho e viabilizar o ensino de língua nas diversas circunstâncias que se apresentam.

O interacionismo social é caminho para múltiplas e profundas reflexões e pesquisas sobre o ensino. O texto é o artefato imprescindível para estudar Língua Portuguesa – ele reorienta os sentidos gramaticais que se esvaziam em práticas obsoletas e conservadoras de ensino que buscam na Língua Portuguesa um ensino metalinguístico que encerra em si mesmo seu propósito, descartando a função precípua da língua: comunicar e promover a interação entre os indivíduos.

Os operadores argumentativos foram tomados, nesse trabalho, como exemplo de aspecto gramatical que, por meio do texto, viabilizam práticas de ensino em suas diversas modalidades.

Como estudiosos da Língua Portuguesa e, principalmente, sujeitos na prática-pedagógica, nós, professores, devemos, antes de qualquer consideração, direcionarmos nossa atenção para o fato de que é por meio da linguagem que o indivíduo se realiza socialmente e isso deve ser dito e discutido com os alunos para que a tecnologia possa ser um elemento que alia à função do professor as suas várias ferramentas de modo a tornar o ensino de Língua Portuguesa profícuo e fértil.

REFERÊNCIAS

ANTUNES, Irandé. *Aula de português: encontro & interação*. São Paulo: Parábola Editorial, 2003.

BAKTHIN, M. M. O autor e a personagem. In: *Estética da criação verbal*. 4 ed. São Paulo: Martins Fontes, 2003.

BARBORA, Jane Rangel Alves; PRISTA, Rosa *Maria. Saberes e Competências Docentes e a Educação Inclusiva: Ressignificando Conceitos e Práticas.* Disponível em: <http://www.faeterj-petropolis.edu.br/democratizar/index.php/dmc/issue/viewIssue/Vol.%204%2C%20no.%201%2C%202010/41>. Acesso em 10 ago. 2020.

BRASIL. *Parâmetros Curriculares Nacionais (PCNs). Língua portuguesa. Ensino Fundamental. Terceiro e quarto ciclos.* Brasília: MEC/SEF, 1998.

BRASIL. *Base Nacional Comum Curricular (BNCC).* Consulta Pública. Brasília: MEC/CONSED/UNDIME, 2015.

COLASANTI, Marina. *Hora de alimentar serpentes.* São Paulo: Global, 2013.

POSSENTI, Sírio. Sobre o ensino de português da escola. In: GERALDI, João W. (org.) *O texto na sala de aula.* São Paulo: Anglo, 2012. (p. 33/4)

JORNAL NA ESCOLA E NOS ESPAÇOS VIRTUAIS

Angélica de Oliveira Castilho Pereira

INTRODUÇÃO

Esse capítulo é um recorte breve da pesquisa desenvolvida no projeto extensionista Jornal na Escola, no CAp-UERJ, que propõe um diálogo entre o ensino de leitura e escrita em textos jornalísticos e novas tecnologias.

Para o nosso projeto, a possibilidade de se comunicar a qualquer momento, em qualquer lugar, de acessar dados/informações/saberes é extremamente estimulante para exercer a prática docente. Nesse sentido, as novas tecnologias, tuteladas pela internet, potencializam o papel de maestro de saberes que cada professor desempenha em sala de aula com as tecnologias que já estão ao seu alcance: quadro, giz/caneta, livros, cadernos, mapas, televisores etc.

Como potencializar ao máximo o uso dessas novas tecnologias para que contribuam não apenas para uma dada situação, mas para a formação de leitores críticos pela vida, é um dos objetivos e uma investigação. Mostrar para o estudante que o processo de construção de conhecimento é constante e que ele será um multiplicador é uma provocação contínua. Afinal, conscientizar-se de que se aprende para a vida e não para a prova, sempre foi um desafio para docentes e discentes.

Alguns estudiosos servem de base para as considerações feitas com o intento de fomentar as discussões. Um deles é Pierre Lévy, por considerar a internet e as mídias relacionadas a esta como as novas tecnologias potencializadoras dos processos intelectuais, estabelecedoras de um ambiente novo, colaborativo, ativo e gerador de debates, trocas e construções de saberes, ou seja, um espaço para e de inteligência coletiva.

O filósofo nos coloca a seguinte reflexão: *como ampliar a inteligência coletiva?* É fundamental para nós, professores, percebermos que o objetivo não é ensinar conteúdos diversos para pessoas acumularem conhecimentos e serem bem-sucedidas individualmente, mas sim tornar o ensino um espaço de troca de conhecimentos entre professores e alunos, alunos e alunos com a finalidade de que cada um contribua para a formação de uma coletividade de conhecimentos. Pensar sobre inteligência coletiva, internet e novas tecnologias à luz da abordagem feita por Lévy (2004) nos impulsiona a fazer uso desses saberes, espaços e ferramentas no cotidiano de nossas práticas docentes com o propósito de explorar ao máximo as possibilidades que se apresentam e exercitar a construção colaborativa de conhecimento.

Lévy aponta como o primeiro avanço da humanidade a caminho da inteligência humana coletiva a criação da escrita. Avanço este, a meu ver, que possui um outro lado, a leitura, tal qual uma moeda e que não perdeu seu valor desde então; pelo contrário, leitura e escrita são criações que permeiam as situações humanas mais variadas e possuem importância cultural inegável.

Embora a produção escrita faça parte da realidade do projeto, o desenrolar dos pensamentos expostos aqui caminha para a leitura e seu ensino com base nas novas tecnologias. A escolha não se dá por conta de a leitura ser mais relevante que a escrita, apenas se trata de um recorte temático.

CONSIDERAÇÕES TEÓRICAS E PRÁTICAS

As indicações propostas e as fundamentações teóricas não visam oferecer práticas infalíveis nem restringir o campo de leituras sobre o tema, mas sim compartilhar uma experiência e abrir para reflexões e diálogo.

No trabalho com leitura, comunicação e informação sempre foram elementos presentes, o ganho com a internet vem com a interconexão. O momento histórico atual é um estágio algorítmico, conforme define Lévy (2004), é digital e possibilita a criação e potencialização de um tripé: *comunicação, informação* e *interconexão,* que contribui para a inteligência coletiva. Pensemos sobre essa relação com base na experiência de ensino de leitura no projeto Jornal na Escola que foi intensificada no momento de isolamento social.

O termo *comunicação* vem do latim *communicatio-onis,* a palavra base é *comum, communis,* o que é *comum,* o que *pertence a todos ou a muitos;* comunicar, portanto, é *tornar comum, fazer saber* (CUNHA, 1986, p. 202). O jornal como veículo de compartilhamento por meio da leitura de ideias é por excelência um espaço de comunicação. Escolher criar um jornal com alunos é optar por materializar e contextualizar a função social do ensino da leitura e da escrita, é uma iniciativa que contribui para formação de leitores do mundo.

O nome escolhido, *Jornal Nossa Voz,* pelos participantes deixa claro o sentimento de porta-vozes da comunidade escolar e o lugar de sujeitos de suas próprias falas.

Houve uma campanha, logo no início, entre os alunos para a escolha de um logotipo para o jornal. Os participantes do projeto votaram e escolheram a imagem de um megafone com as palavras *nossa* voz saindo dele. Tal escolha reafirmou o espaço do jornal como sendo um ambiente e uma oportunidade constante de trocas e de tornar públicas informações, além de promover exercício da democracia.

Vale salientar que, como lembra Lucia Santaella (2001), comunicação e intencionalidade são ideias que caminham juntamente, pois o emissor/escritor possui intenções ao produzir seu texto. As intencionalidades dos textos do projeto, para além das mensagens de cada texto, estão presentes no objetivo de divulgar para estudantes, familiares e amigos do CAp-UERJ informações que sejam relevantes sobre o colégio e sobre as relações das pessoas com a cidade, o estado, o país e o mundo. Elas revelam a pluralidade das vozes dos participantes.

Esses estudantes são produtores e, também, são leitores, nesse sentido, estão diante de intenções, cabendo aos professores provocar situações de reflexão sobre o que está sendo lido. No dia a dia das oficinas, os participantes se posicionam criticamente diante do que escrevem, do que os colegas e os professores produzem, além dos textos utilizados durante a pesquisa para escrever os próprios textos.

A seleção de temas para serem pesquisados para as edições do jornal é feita em conjunto e parte do interesse dos membros, considerando as peculiaridades de cada um, os assuntos que interessam à comunidade escolar e os fatos da atualidade. A orientação de leitura se dá na seguinte sequência: escolha do tema, pesquisa pela internet sobre o tema, leitura do material, anotações, divulgação das informações encontradas ao grupo, organização das informações, produção de textos verbais e não verbais, leitura dos textos produzidos, reescrita, se necessário. Paralelamente, os professores leem com os alunos, alunos leem com os professores, todos promovem reflexões, orientam na checagem das informações. Essa ordenação promove espontaneamente a distribuição de tarefas em um processo colaborativo. Leitura e escrita ocorrem com muita proximidade. Com o isolamento social, essa dinâmica é feita pelo grupo ou por mensagens privadas de *WhatsApp*. Presencialmente, os encontros são semanais, com duração entre uma hora, uma hora e meia, com conversas por *e-mail* e por mensagens quando é necessário. Remotamente, não estabelecemos dia ou duração para apresentação de propostas e desenvolvimento delas, respeitando as disponibilidades e um bom senso para envios entre 7h e 17h 10min, horário de funcionamento das atividades do colégio.

A editoração dos textos selecionados se dá após o acúmulo suficiente de material. Normalmente, cada edição possui 4 páginas e o rascunho é construído em conjunto, possui arte finalizada e reapresentado ao grupo para, enfim, se fazer versão final. As publicações ocorrem com frequência trimestral, com 200 exemplares aproximadamente. A distribuição é feita pelos participantes e pelos professores pelo colégio, que aproveitam para convidar mais pessoas para o projeto, responder a perguntas que frequentemente surgem. Em seguida, todos da equipe se reúnem, é feita a leitura do jornal publicado e os comentários sobre os resultados. Durante o isolamento, as publicações são feitas em PDF e distribuídas por *WhatsApp*, por *e-mail* institucional e estão ocorrendo com intervalos mais curtos.

O acúmulo de conhecimentos mais técnicos como o que é uma notícia e a diferença entre charge e tirinha são apresentados conforme surgem as propostas de leitura e de escrita, formalizados por meio de anotações individuais e socializadas, sempre que necessário. No início de 2020, foi feito um planejamento para, além das anotações individuais e compartilhadas, o grupo ter um espaço para arquivar esses conhecimentos e servir de fonte de consulta, tendo periodicamente a execução de oficinas ministradas pela bolsista e orientadas pelos professores participantes. Com a necessidade de ficarmos em casa e com a oportunidade de utilizar o Ambiente Virtual de Aprendizagem do colégio (AVA-CAp), essa intenção foi transportada para esse espaço em forma de oficinas sobre gêneros textuais jornalísticos. Os professores produzem o material e as oficinas têm sido oferecidas a qualquer estudante do colégio, membros ou não do jornal, como uma forma de manter contato e minimizar os impactos negativos causados pelo isolamento social.

O encontro do texto com seu leitor é o que torna o texto vivo, e toda vez que o mesmo leitor se deparar com o mesmo texto, o primeiro não será mais o mesmo, a comunicação será outra, porque outros sentidos serão construídos. É possível constatar essa mudança de olhar quando fazemos seleção de material para postar às quintas-feiras com a proposta de #tbt[1]. Ao reler os textos, novos sentidos são construídos e o distanciamento temporal confere ao leitor e ao produtor do texto novas ideias. Falas como "estou entendendo mais uma coisa", "hoje eu escreveria dessa forma", "abordaria esse ponto" comprovam esses novos sentidos que surgem e um olhar crítico diante da escrita.

Os espaços virtuais tornaram-se unicamente nossas fontes de consulta, nossos ambientes de produção e nossos meios de comunicação, apenas evidenciando a importância que já possuíamos em nossas práticas descritas acima. E cada ação é permeada pela leitura.

Nesse cenário, a comunicação revela-se claramente como um instrumento importante, eficaz e produtivo (TORQUATO, 1991). Os participantes trocam informações, constroem conhecimento e partilham nos espaços criados pelo jornal: *site*, *blog*, redes sociais, *YouTube*. Esses espaços potencializam ainda mais um aspecto da comunicação em tempos de internet: feita a comunicação de algo, não se pode "descomunicar", basta haver um leitor e, hoje em dia, um *print* de tela ou *download* para perpetuar o texto.

Feitas essas considerações sobre a comunicação e como lidamos com ela no cotidiano do projeto, não é demais lembrar que a comunicação sempre esteve presente na sociedade, ganhando mais e mais destaque com o

1 O uso de *hashtag* (#) antes de tbt é uma gíria criada por falantes nativos do inglês, sobretudo, americanos, que abrevia *Throwback Thursday*, traduzindo, quinta-feira do retorno. Diante disso, qualquer texto verbal ou não verbal (normalmente fotos) antigos são repostados. Tem um ar saudoso, de comparação, de brincadeira.

tempo e tendo nas novas tecnologias um papel de destaque. No universo jornalístico, da invenção de tipos móveis por Gutemberg até as versões digitais de jornais de hoje, o casamento entre texto e tecnologia sempre houve. Trazer essa realidade para o ambiente escolar apenas é chamar a atenção dos estudantes para o fato de que se aprende a ler para se informar e ser atuante no mundo.

Informação, o segundo elemento que compõe o estágio digital em que vivemos (LÉVY, 2004), é parte indispensável para o meio jornalístico, afinal, todo texto utilizado como fonte de pesquisa traz informações e todo texto publicado visa a levar informações aos leitores. Entendendo a palavra a partir de seu sentido primeiro, *forma*, do latim *forma, molde* (CUNHA, 1986, p. 364), a informação dá forma, possibilita uma formação e possui, portanto, um viés educativo.

No jornal, esse processo educativo por meio da informação é válido e evidenciado a cada leitura feita. Embora o projeto seja de Língua Portuguesa, transitamos por outras áreas de conhecimento quando lemos e pesquisamos sobre os temas. E um ponto sempre ressaltado é a necessidade de checar as fontes e os dados expostos para nos preservarmos e preservarmos nossos leitores de *fake news*. Desenvolver a responsabilidade pelo que se passa adiante após as pesquisas feitas é preocupação constante. A situação é propícia para educar digital e eticamente, porque o que um faz chega a muitos, mas também afeta muitos pela internet.

Essas relações provocam reflexões sobre o jornalismo, a quantidade enorme de informações nos chegando a cada minuto, a responsabilidade ao passá-las, a necessidade de pesquisar sobre assuntos com mais atenção. A leitura como um processo de reflexão e não de aceitação de informações faz parte não apenas do processo de leitura que sempre foi feito, mas também faz parte desse momento histórico em que precisamos avaliar mais cautelosamente o que nos chega para ler. As informações que chegam são variadas e revelam visões múltiplas de mundo, não são para serem aceitas como verdades, mas como ideias que merecem ser avaliadas.

Isso tem a ver com promover leituras críticas e formar leitores de textos disponíveis na internet, capacitá-los para selecionar informações, verificá-las, checar as fontes, para serem criteriosos e cuidadosos em passar dados nos seus próprios textos e em reportagens.

Nesse contexto, os suportes em que os textos estão são pontos de interesse, pois a compreensão textual está atrelada também a eles. Sendo assim, os elementos que caracterizam os suportes e as informações contidas nos textos desenham o discurso produzido (CHARTIER, 2001). Os suportes iniciais do jornal foram as edições impressas e o *blog* (https://jornalnossavozcapuerj.blogspot.com/), este para facilitar a leitura de quem não recebesse o exemplar no colégio. No entanto, as necessidades de chegar a um público maior e possibilitar uma produção mais intensa de textos nos motivou a criar uma página no *Facebook* (https://www.facebook.com/Jornalnossavozcapuerj). Foi um salto para as visualizações e caracterizou ainda mais o projeto como uma ação mais abrangente. Outro suporte utilizado é o *site* do grupo de pesquisa LEDEN (www.leden.uerj.br/jornal).

O espaço permite ter acesso às publicações e está organizado de forma semelhante a um *site* jornalístico. Com o isolamento social, um desejo foi antecipado, criamos uma conta no *Instagram* (@jornalnossavoz.capuerj) e as postagens nas duas redes sociais passaram a ser diárias, de domingo a domingo. O jornal passou a ser também um meio de contato entre estudantes, familiares e colégio, uma das muitas iniciativas de estabelecer contato com a comunidade capiana. Por haver necessidade de armazenar e divulgar vídeos produzidos, foi criado um canal no *YouTube* (https://www.youtube.com/channel/UCiB_Wc5p5zO_CPA0XIL1SAw), o que ampliou as possibilidades de produções de textos orais e criou um espaço para agrupar tal material.

Constata-se a partir de observações e de leituras sobre o universo jornalístico que o suporte contribui para organização de um discurso e que este reflete a lógica e a operacionalização de midiatização da sociedade. A relação entre as informações do jornal e o público leitor passam por essa interferência do suporte na leitura. A informação figura-se como elemento primordial na comunicação. Embora, nas versões impressas, no *site* e no *blog* não disputem atenção com qualquer outro atrativo, quando as publicações são feitas no *Facebook,* no *Instagram* e no *YouTube,* compartilham o espaço com textos publicitários e publicações de pessoas inseridas nesses espaços. A leitura deixa de ser linear, o olhar do leitor se depara com páginas repletas de informações diversificadas, a própria configuração dos textos, surgindo entre tantos outros em redes sociais como *Facebook* e *Instagram,* impulsiona para uma leitura fragmentada. Muitos "curtem" sem ler o texto inteiro ou, apenas, a partir da foto que ilustra a matéria. Como a leitura nesses suportes não são lineares, chamar atenção do leitor é um objetivo a mais de quem escreve. Temas atuais, textos com linguagem coloquial, imagens interessantes já são traços do universo jornalístico e que nas redes sociais precisam ser mantidos pelo nosso jornal.

Ao mesmo tempo que dá visibilidade para a produção dos membros do projeto, as redes sociais não garantem que a leitura que será feita atingirá a informação disponibilizada e a comunicação ocorra, de fato. Tais suportes são voláteis, as publicações que fazemos neles acarreta uma mudança na função mediadora do jornal, não pelo discurso ceder aos apelos de um espaço que não visa a informar, mas mostrar/exibir/entreter; porém, por compartilhar dessa fragmentação de discursos.

O lado positivo desses suportes? Além do jornal disponibilizar leitura com informações confiáveis, possibilitar que emissor e receptor interajam por vezes em tempo real, que debates sejam feitos, enfim, que haja comunicação direta. É nas redes sociais que o *Jornal Nossa Voz* mais recebe comentários. Nesse ponto, favorece, e muito, o processo comunicativo: cada comentário é indicativo que a leitura foi feita e alguma informação ficou retida a ponto de gerar o desejo de conversa.

Ao utilizar as redes sociais como caminhos para levar textos (verbais e não verbais) e ao mesmo tempo dar ao jornal um formato em que o interlocutor possa ser agente da fala e também de reportagens de publicações (ao repostar, a pessoa também assume o lugar de comunicador), o projeto procura incorporar as novas tecnologias não apenas para atingir um público maior, mas também as reconhece numa nova face do jornalismo na atualidade, como é possível conferir no trabalho feito por jornais pelo mundo.

Valendo-se de colocações de Lévy (2004), os espaços das redes sociais, de *blogs*, de *sites*, canais, democratizam o conhecimento, no caso do jornal, caracterizado como informação e cultura, pois são elementos disponibilizados gratuitamente. O que ainda trava esse acesso é o fato de pessoas ainda não terem computadores, celulares e acesso à internet, o que gera intensa preocupação no período de isolamento social para os estabelecimentos de ensino, sobretudo, da rede pública.

Seguindo o pensamento de Lévy, ao acessar o montante de informação que está disponível via internet, há uma aprendizagem colaborativa, pois há trocas. O autor considera isto um crescente aumento do que ele chama inteligência humana coletiva. Estar nesse lugar de troca, apresentando o resultado de um trabalho de leitura e de escrita que envolve participação constante de docentes e discentes é oferecer conhecimento a um público maior do que os estudantes do CAp-UERJ e motivar ações semelhantes em outras instituições, é fazer uma interconexão, termo que compõe o tripé apresentado por Lévy. (2004).

O aspecto intensificador atribuído às relações estabelecidas entre as pessoas no ciberespaço está presente na interconexão, que é, de fato, uma *ligação*, um *vínculo*, um *nexo*, uma *relação (conexão) entre, no meio de (inter-)* (CUNHA, 1986, p. 205; 440), pois as trocas são fortes e patentes, se interconectar é dar e receber ao mesmo tempo, não havendo possibilidade para apenas uma dessas ações. E, nessa relação, o termo virtual só pode ser concebido como Pierre Lévy (1999) o define, como algo existente e se encontra em espaços bem conhecidos por nós: celulares, *tablets*, computadores. O virtual é, portanto, uma realidade. Existe. Nesse sentido, comunidades virtuais são, por exemplo, *blogs*, fóruns, redes sociais em que as pessoas procuram se agrupar por interesses comuns e, consequentemente, configura-se como espaço de interconexão, informação, logo, de comunicação.

A interconexão entre pessoas implica em divulgação de valores, pensamento, enfim, culturas, o que dá a essa interação um caráter macro. Lévy (1999) apresenta que a interconexão proporciona uma tessitura universal por meio dos contatos de forma dialógica e edificando a inteligência coletiva.

Esse ciberespaço produz cibercultura, para usar termos utilizados por Lévy (1999). O autor entende o primeiro como uma infraestrutura digital, as informações presentes e as pessoas que acessam e disponibilizam informações, e o segundo como toda prática, pensamento, valores desenvolvidos a partir desse espaço e para esse espaço. Ele ainda identifica o ciberespaço como um meio de comunicação. Entrar nesse espaço pedagogicamente como temos feito com o jornal escolar, pesquisando informações, partilhando informações, construindo pontos de vista, é cooperar para construção de conhecimento em âmbito coletivo para além da sala de aula presencial e valorizar a leitura como um processo interativo sedimentado em conhecimento linguístico, conhecimento textual e conhecimento de mundo como um trio que possibilita que o leitor construa sentido, como salienta Angela Kleiman (1989).

Outro aspecto associado a tais práticas de leitura está no fato de entendermos os textos a partir do conceito de hipertexto, ou seja:

> [...] todo texto constitui uma proposta de sentidos múltiplos e não de um único sentido, e que todo texto é plurilinear na sua construção, poder-se-ia afirmar que – pelo menos do ponto de vista da recepção – todo texto é um hipertexto. (KOCH, 2003, p.61)

Este traço no ciberespaço recebe mais observações. Para o autor Pierre Lévy, a informação é adquirida por meio do contexto e do sentido para haver comunicação e o método de comunicação é hipertextual, pois a mente humana não processa informações naturalmente de forma linear. Ao ouvirmos uma palavra, nossa mente aciona uma rede de outras palavras e noções, imagens, sons que possam ser atribuídos a elas, a partir disso, separamos pelo contexto o que nos favorece para construção de sentido (LÉVY, 2004).

Assim, o hipertexto pode ser considerado como um formato que se evidencia naturalmente no mundo digital. Os suportes possuem nesse ambiente ferramentas (*mouse*, *links*, ícones etc.) dispostas e disponíveis para orientar o leitor e abrir caminhos de leitura.

O jornal traz informações em formato de notícias, notas, entrevistas, artigos etc. e por mais fragmentada que seja a leitura em alguns suportes utilizados, o objetivo de informar é mantido, é atingido satisfatoriamente quando o leitor se apropria da informação e leva para o seu cotidiano. O leitor mudou, não podemos ignorar esse fato. Vivenciamos um novo momento cultural pautado na velocidade, na fluidez e na fragmentação. As informações estão inseridas em novos formatos, mais diretos, mais dinâmicos. Prefiro não lançar um olhar negativo para esses fatos e fazer uso desse espaço virtual em conjunto com os demais membros do jornal para promover a interação por meio da leitura, estar presente e chegar aonde as pessoas estão e estabelecer comunicação, afinal, o texto jornalístico carrega saberes e promove reflexões sobre saberes. Este é o papel do professor.

Fica evidente, diante do que está sendo apresentado aqui, que o espaço da internet e os recursos que ela oferece precisam ser apropriados pelo docente como um campo para trabalho, pois é um espaço de conhecimentos variados e reunidos. O que já era uma verdade, o professor não é o detentor do saber, torna-se patente nesse cenário virtual e histórico. Assumir-se como promotor e facilitador de ações pedagógicas que guiem os estudantes por experiências de construção de conhecimento e utilizar novas tecnologias para isso é o que se tem feito a cada encontro (presencial ou remoto) dos membros do projeto Jornal na Escola desde o início.

CONSIDERAÇÕES FINAIS

Trazer pontos como comunicação, informação e interconexão salientados por Lévy para o âmbito das práticas docentes desse projeto é confirmar as ideias do autor em uma esfera pedagógica, afinal, a leitura ancorada nesses princípios passa por todos os estágios de contato com os textos durante a elaboração das edições dos jornais e das publicações em espaços virtuais.

Fazer uso da internet e de novas tecnologias que utilizam computador, *tablet*, celular e, consequentemente, ferramentas como *chat*, fórum, vídeo no ensino de leitura é uma forma do professor assumir o lugar de orientador para que o processo de escolha, seleção, checagem, organização de informações que já ocorre quando o estudante acessa à internet seja feito criticamente. Assumir, por conseguinte, o lugar de mediador em espaços comuns aos estudantes do acúmulo de debates sobre as informações acessadas para que tais espaços sejam de construções dinâmicas e permanentes de saberes. Em uma escala mais particular do que a internet, em termos de quantidade de informações e articulações delas, portanto, professores e alunos constroem colaborativamente uma rede de saberes.

Como a leitura de mundo é transportada para o texto jornalístico produzido pelos estudantes e, consequentemente, reflete a visão de mundo que eles como indivíduos e parte de um grupo se colocam no espaço escolar, no espaço comunitário e na sociedade por meio das redes sociais, o jornal, de fato, constitui uma voz coletiva da comunidade capiana sempre aberto para inclusão de quantas vozes quiserem participar.

REFERÊNCIAS

CHARTIER, Roger. *Textos, impressão, leituras*. In: HUNT, Lynn (Org.). A nova história cultural. São Paulo: Martins Fontes, 2001. (p.211-238)

CUNHA, Antônio Geraldo da. *Dicionário etimológico Nova Fronteira da língua portuguesa*. 2. ed. Rio de Janeiro: Nova Fronteira, 1986.

KLEIMAN, Angela. *Texto e leitor: aspectos cognitivos da leitura*. Campinas: Pontes, 1989.

KOCH, Ingedore Grunfeld Villaça. *Desvendando os segredos do texto*. 2. ed. São Paulo: Cortez, 2003.

LÉVY, Pierre. *As tecnologias da inteligência: o futuro do pensamento na era da informática*. São Paulo: Editora 34, 2004.

_______. *A inteligência coletiva: por uma antropologia do ciberespaço*. São Paulo: Loyola, 2007.

_______. *Cibercultura*. São Paulo: Editora 34, 1999.

SANTAELLA, Lucia. *Comunicação e pesquisa: projetos para mestrado e doutorado*. São Paulo: Hacker Editores, 2001.

TORQUATO, Gaudêncio. *Cultura, poder, comunicação e imagem: fundamentos da nova empresa*. São Paulo: Pioneira, 1991.

A PRODUÇÃO TEXTUAL ESCOLAR EM SUPORTE DIGITAL
O “DILEMA” DO PROFESSOR DE LÍNGUA PORTUGUESA COM A AUTOCORREÇÃO DIGITAL

Cristina Normandia

INTRODUÇÃO

As novas tecnologias ainda são vivenciadas, timidamente, nas escolas brasileiras, devido a alguns "dilemas" que podem ser de cunho pedagógico e de cunho teórico-metodológico, como nas aulas de produção textual, em Língua Portuguesa, especificamente.

Entre os dilemas de caráter pedagógico, cita-se o debate sobre o uso dos celulares em aula. Pode ou não pode? Os aparelhos tiram do professor a sua função de orientador do conhecimento? Essas são questões pedagógicas que demandam reflexões, para se evitar radicalismos que impedem qualquer possibilidade de utilização do celular na sala de aula.

Quanto ao dilema teórico-metodológico, cita-se à produção escrita dos alunos no suporte *Word*. Parece ser uma bobagem, mas há um "desconforto" por parte do professor de Língua Portuguesa de permitir que o aluno digite o texto escolar no programa digital. O recurso do programa de autocorreção ortográfica e gramatical pode impedir que o aluno "aprenda" as regras que regem o uso ideal da Língua Portuguesa, o que, de certa forma, tira do professor o "poder" de sinalizar no texto, escrito no papel, o "erro" do aluno, tão caro para o domínio do padrão culto da língua.

Por este prisma, o incômodo de utilizar o programa *Word* como suporte de produção de textos escolares merece ser debatido com o professor de Língua Portuguesa, pois se acredita que esse problema tem origem na percepção teórica de língua que permeia as atividades escolares. Isso influencia bastante nas escolhas do professor em suas aulas, podendo limitá-lo em relação às possibilidades de uso da língua que precisam ser tratadas no ambiente escolar.

O propósito desse diálogo é discutir a produção do texto escolar no suporte digital *Word*, utilizado de modo recorrente em contextos profissionais e acadêmicos, por exemplo. Devido ao seu recurso de autocorreção, nos planos ortográfico e gramatical, evita-se que as redações no Ensino Básico sejam produzidas no *software* do Windows. Em um mundo globalizado, em que se faz necessário ter experiências de linguagem com as ferramentas tecnológicas, distanciar do aluno do Ensino Básico a utilização de uma ferramenta do Windows implica numa exclusão social e cultural. Levanta-se a hipótese que estamos diante de um impasse relacionado com a percepção teórica de língua e linguagem desenvolvida na sala de aula, que explicaria a crença de que o suporte é determinante no conteúdo do texto escrito.

Para nortear esta elucubração, será feita uma abordagem teórica sobre os conceitos de língua e linguagem com Koch (2002), Marcuschi (2003), Travaglia (2001) e Tedesco (2013), na primeira seção. Na segunda seção, apresentam-se considerações sobre os gêneros discursivos e o contexto digital, baseando-se em Tedesco (2013), Marcuschi & Xavier (2010), Marcuschi (2008) e Santos (2018). Em seguida, na terceira seção, propomos um estudo de caso a partir de redação do 7º ano do Ensino Fundamental digitada no suporte *Word*. Por fim, tecemos as considerações finais. Inicia-se a reflexão sobre o conceito de língua e de linguagem.

SOBRE A LÍNGUA E A LINGUAGEM: CONCEPÇÕES EM DISCUSSÃO

Qual a percepção teórica que fundamenta o meu trabalho enquanto professor(a) de Língua Portuguesa? Essa poderia ser a reflexão inicial dos professores de língua materna, antes de proporem qualquer conteúdo e antes, também, de proporem atividades de leitura e de escrita para o Ensino Básico.

A perspectiva de língua e de linguagem é o primeiro "passo" para um trabalho com a Língua Portuguesa que vise à otimização da competência comunicativa do aluno (TRAVAGLIA, 2001). Percebe-se que isso não tem apenas um propósito de cunho metodológico, mas um propósito de base teórica para se entender o que é feito nas aulas de Língua Portuguesa, no Ensino Básico. É necessário frisar que não adianta pensar e propor "caminhos" metodológicos, sem antes avaliar a percepção teórica de língua que fundamenta o trabalho escolar. A teoria e a metodologia caminham juntas.

É sabido que a perspectiva teórica-metodológica mais desenvolvida nas atividades de Língua Portuguesa é a prescritiva. Tal posicionamento implica na visão dicotômica da língua, em que prevalece a relação certo *versus* errado.

A premissa do prescritivismo é considerar as modalidades oral e escrita como usos estanques da linguagem. Assim, o prescritivismo determina características particulares para o uso da escrita e para o uso da fala. Por isso, a modalidade escrita é considerada um uso planejado, completo, preciso e normatizado (MARCUSCHI, 2003).

Enquanto a fala é avaliada como um uso impreciso, não normatizado, fragmentado (MARCUSCHI, 2003). Ao destacar dessa dicotomia, apenas, os aspectos normatizado e não normatizado, conclui-se que a visão prescritiva está voltada, somente, para os princípios normativos que regem o uso culto da língua, que é abordado, principalmente, pela gramática normativa.

A gramática normativa, no âmbito dos estudos linguísticos, apresenta o seu propósito bem definido e direcionado para o trabalho com o padrão culto vigente em contextos sociais mais formais, em que a modalidade escrita adquire destaque em relação à modalidade oral. Conforme Travaglia (2001, p.30), a gramática normativa "estuda apenas os fatos da língua padrão [...]. Baseia-se, em geral, mas nos fatos da língua escrita e dá pouca importância à variedade oral da norma culta..." (TRAVAGLIA, 2001, p.30). Nesse sentido, na visão normativa, a prioridade está em determinar o que é certo e o que é errado no uso culto da língua. Prevalece como foco das aulas de Língua Portuguesa a modalidade escrita, especificamente, a escrita de prestígio, encontrada em crônicas, contos e romances, por exemplo, que constituem a nossa Literatura Brasileira. Quanto à fala, essa não apresenta, em sala de aula, o mesmo prestígio social e cultural da escrita.

Este "olhar" dicotômico se deve, particularmente, à influência dos estudos estruturalistas, os quais estavam voltados para a língua enquanto sistema. Assim, o código é o objeto de análise, que "permanece na imanência do fato linguístico", conforme observa Marcuschi (2003, p.27). Logo, o texto é produto da codificação, o qual é decodificado pelo usuário da língua passivamente, segundo Koch (2002).

Com os avanços dos estudos linguísticos, concluiu-se a importância de se observar a língua em uso. Esse uso envolve as práticas orais e escritas, num *continuum*, sem delimitá-las. Destarte, ganham importância as visões variacionista e sociointeracionista sobre a linguagem.

Os variacionistas são "estudiosos que se dedicam a detectar as variações de usos da língua sob sua forma dialetal e socioletal" (MARCUSCHI, 2003, p.31). Para eles, a língua, conforme as diversas situações sociais, apresenta variações tanto em seu uso escrito quanto no seu uso oral, refletindo as experiências socioculturais vivenciadas pelos indivíduos. Então, o aspecto normatizado não é exclusivo da prática escrita. Está também presente no uso da fala, de acordo com a situação comunicativa vivenciada.

Consequentemente, o aspecto não normatizado não é particular da fala, também está no uso da escrita, segundo a situação social vivenciada. O que baliza o grau de formalismo e de informalismo no uso da língua é o gênero discursivo. Nesse ponto, destaca-se Bakhtin (2010), que diz:

> Todos os diversos campos da atividade humana estão ligados ao uso da linguagem. Compreende-se perfeitamente que o caráter e a forma desse uso sejam tão multiformes quanto os campos da atividade humana [...] (BAKHTIN, 2010, p.261).

Sendo os usos da língua multiformes, as variações são naturais, não são 'erros', e não comprometem nem o sistema da língua nem sua unidade. Portanto, a língua em uso varia dialogicamente, porque são muitas as possibilidades de interação social, em que indivíduos ativos produzem e compreendem sentidos, constantemente. Por isso, Koch (2002, p. 17) observa que a língua:

> [...] é, isto sim, uma atividade interativa altamente complexa de produção de sentidos, que se realiza, evidentemente, com base nos elementos linguísticos presentes na superfície textual e na sua forma de organização [...] (KOCH, 2002, p.17).

Desta forma, o uso da língua nas condições de fala e de escrita envolve, sempre, o contexto social e o indivíduo com as suas experiências sociais e cognitivas. Dois fatores que desfazem a dicotomia linguística, de ordem prescritiva, a qual não trata os gêneros discursivos como essenciais para as escolhas linguísticas feitas pelo indivíduo – o aluno do Ensino Básico – em interações sociais.

Refletido sobre as percepções teóricas vigentes, espera-se que o professor de Língua Portuguesa reconheça qual o ponto de vista que predomina no seu trabalho com a língua materna, que responde a pergunta proposta no início dessa seção e que é importante para entender o uso da língua em gêneros discursivos em contexto não digital e digital, assunto da próxima seção.

OS GÊNEROS DISCURSIVOS EM CONTEXTO NÃO DIGITAL E DIGITAL

De acordo com Bakhtin (2010, p.262), cada campo de atividade humana organiza "seus tipos relativamente estáveis de enunciado". Partindo desse princípio, começa-se a pensar a heterogeneidade no uso da língua escrita em contextos não digital e digital e os vínculos textuais existentes entre esses.

O desenvolvimento da internet, para o entretenimento, trouxe maneiras mais rápidas e diversificadas para o estabelecimento da comunicação. No início da democratização da web, o gênero digital *E-mail*, por exemplo, foi um dos gêneros que chamou a atenção dos usuários da língua pela rapidez na transmissão da informação. Esse gênero discursivo e os demais davam a sensação de que a internet estabeleceu o surgimento de novos gêneros discursivos. O que não é verdade. O uso da linguagem na internet não estabeleceu gêneros discursivos novos, ao contrário. Na realidade, a mudança foi nas condições de produção da linguagem.

Por isso, Marcuschi & Xavier (2010) concluíram que os gêneros digitais apresentam uma qualidade de "emergentes", porque as práticas textuais desenvolvidas na web mantêm um *continuum* ou uma continuidade com práticas textuais de contextos não digitais.

Obviamente, os gêneros discursivos digitais apresentam particularidades que os identificam com o ambiente da internet. Uma delas é a simultaneidade no uso do texto verbal, não verbal e sonoro, em ambiente hipertextual e intertextual, de acordo com Santos (2018). A hipertextualidade, o hibridismo da linguagem, a interatividade, a intertextualidade são aspectos que chamam a atenção dos usuários da internet e, consequentemente, influenciaram nos propósitos comunicativos dos usuários da linguagem. Por exemplo, o uso do gênero discursivo *E-mail* que passou a ser utilizado, amplamente, porque o hibridismo da linguagem permite que a mensagem apresente uma quantidade de informações expressivas, o que não era possibilitado pelo gênero discursivo Carta.

O propósito comunicativo comum dos gêneros discursivos *E-mail* e Carta é similar. Isto é, os dois gêneros visam à transmissão de conteúdo privado, com temas que transitam entre o pessoal e o profissional. Entretanto, os aspectos que distanciam os gêneros discursivos são o canal de transmissão e o suporte que permite a circulação dos textos.

O gênero Carta tem como canal de transmissão os correios e o texto é produzido no suporte papel. Já, o gênero digital *E-mail* apresenta como canal de transmissão a internet, a partir de provedores como, por exemplo, o Yahoo, o Gmail, o Uol e o Hotmail. E o texto do *E-mail* é digitado num suporte, um *software*, o qual fica hospedado em provedores como os exemplificados.

Percebe-se que a relação de estabilidade entre os dois gêneros está no uso da língua escrita, a partir da interação com o texto verbal. O texto verbal na Carta e no *E-mail* atenderá ao contexto de produção, à temática, aos propósitos comunicativos do produtor do texto, o que implicará num texto mais formal ou menos formal, mais objetivo ou menos objetivo. Por essa razão, Tedesco (2013, p.480) explica que "os recursos utilizados para dizer o que se deseja dizer" dependem do "projeto de dizer" (TEDESCO, 2013) do produtor do texto. À vista disso, observa-se que o suporte onde é produzido o texto não influencia nas variações linguísticas que o texto verbal venha a apresentar.

Compreender o que implica a relação do gênero discursivo com o seu suporte é, notadamente, entender que o mesmo interfere, principalmente, no modo de circulação do gênero discursivo, conforme a situação comunicativa. Marcuschi (2008, p.174) observa que o suporte:

> [...] é imprescindível para que o gênero circule na sociedade e deve ter alguma influência na natureza do gênero suportado. Mas isso não significa que o suporte determine o gênero [...] (MARCUSCHI, 2008, p.174).

Como pode ser confirmado com os gêneros Carta e *E-mail*. O suporte do gênero não digital e do gênero digital influencia na circulação dos dois, mas não determina ou define os gêneros discursivos. Essa comparação é significativa para refletirmos na relação do suporte com o texto escolar.

Ao pensarmos na redação escolar, produzida ou no suporte papel ou no suporte *Word*, ocorreriam mudanças em sua natureza discursiva? Não. O gênero textual redação que, normalmente, circula em suporte de papel, não é definido ou determinado por ele. Assim, as variações que ocorrerem na estrutura linguística do gênero redação deve ser analisado pela influência do contexto social, da temática e do propósito comunicativo do produtor do texto. O nível de formalidade e de informalidade na estrutura linguística deve ser considerado com o todo do texto verbal, focando-se no "projeto de dizer" do autor do texto, conforme destaca Tedesco (2013).

Isto posto, uma redação produzida no suporte *Word*, mesmo que ocorra a autocorreção de variações ortográficas e gramaticais, não terá o "projeto de dizer" (TEDESCO, 2013), a verdadeira natureza do texto, modificado. Isso, nenhum programa, ainda, é capaz de autocorrigir. Quando isso ocorrer, perde-se a necessidade do trabalho com a linguagem no contexto escolar.

Portanto, se a aula de Língua Portuguesa prioriza apenas a prescrição da língua e o suporte do texto verbal, o "projeto de dizer" do texto, da redação especificamente, não é prestigiado e trabalhado. Nessa lógica, a autoria, que é ambicionada nas aulas de produção textual, torna-se utópica.

Tedesco (2013, p.489) observa que para alcançar a "função-autor" no texto escolar, é necessário que a escola realize, amplamente, as diversas práticas sociais da linguagem, em que está prevista, igualmente, a função-leitor (TEDESCO, 2013, p.489). A prática da leitura possibilita que o estudante do Ensino Básico reconheça nas marcas linguísticas do texto não apenas o caráter formal e informal da linguagem, mas, principalmente, a intenção do autor do texto, o seu "projeto de dizer".

Com essa segunda seção de reflexão sobre os gêneros discursivos e o contexto de produção, torna-se possível o estudo de caso, a partir de uma produção textual escolar realizado no Ensino Básico, que será tratado a seguir.

UM ESTUDO DE CASO EM DISCUSSÃO

Em aula desenvolvida numa turma de 7º ano do Ensino Fundamental sobre o gênero discursivo Crônica, foi proposto para os alunos a produção do gênero literário no suporte *Word*. É interessante salientar que o contexto de desenvolvimento dessa atividade está relacionado com a pandemia do Coronavírus, momento em que as aulas estão sendo administradas digitalmente. Como resultado, as atividades textuais passaram a ser em suportes digitais.

Antes da produção textual propriamente dita, foram realizadas nas aulas *on-line* leituras de crônicas em livro didático de escritores consagrados como, por exemplo, Carlos Drummond de Andrade. Nessa fase de interação textual, a prática da leitura é realizada com a observação dos aspectos linguísticos e discursivos presentes nos textos que permitem que seja compreendido o projeto de dizer do autor do texto.

O desdobramento da prática de leitura é a produção textual dos alunos. Para isso, as temáticas sugeridas foram motivadas por experiências pessoais, como, por exemplo, a vivência na quarentena, algo novo para as crianças, ou motivadas por temáticas suscitadas pelas crônicas lidas em aula. Uma dessas foi a temática tratada pela crônica "O melhor Amigo", de Fernando Sabino, que foi muito bem recebida pelos alunos. A narrativa aborda a relação de um menino com um cachorro que é encontrado pelo personagem na rua e que é levado para sua casa, com o fim de adotá-lo. Essa é uma situação muito comum no cotidiano das crianças, principalmente.

A orientação da redação implicou na continuidade da narrativa de Sabino, a partir do momento que a personagem mãe questiona o personagem menino sobre o que tinha nas mãos, ao entrar em casa, no primeiro parágrafo da crônica. O texto deveria ser digitado em *Word,* com atenção para os aspectos relacionados com o uso culto da língua. No entanto, se o aluno não tivesse como digitar o texto em *Word,* poderia ser feito no caderno, fotografado e salvo em PDF. Com essa exposição da situação de produção das redações, apresenta-se uma das produções digitada no suporte *Word*:

O MEU MELHOR AMIGO[2]

Olha mãe, é um filhote...e a mãe pergunta

2 Redação produzida por estudante do 7º ano de Instituição privada.

— Onde você arranjou isso meu filho?

— Na rua Mãe, ele parece ser legal, e também parece estar com muita fome.

Então, a mia Mãe com cara de pena do filhote disse:

— Vamos adotá-lo!

Eu todo emocionado já tinha pego papel e caneta, e já estava anotando tudo o que era necessário. Depois de algumas horas eu e Minha Mãe, fomos no veterinário dar-lhe as necessárias vacinas.

— Doutor já foram aplicadas todas as vacinas, Pergunta a minha Mãe.

E ele responde:

— Sim, agora vamos examiná-lo.

2 hora depois...

Eu já não aguentava mais esperar, parecia que tinha formiga na cadeira de tão excitado que eu estava. Até o momento que o doutor abre a porta e diz:

— Nada de errado! eu aproveitei e dei-lhe um banho também.

Eu estava tão feliz! não podia esperar para irmos ao petshop comprar as coisinhas dele... Quando chegamos lá eu deia lista a minha mãe e disse

— Aqui mãe tudo o que é necessário já está nessa lista.

Minha mãe com cara de espanto diz

— meu deus filho, você estava ancioso mesmo (com sorriso no rosto)

Já era noite, estava eu e minha mãe e o meu novo amigo: o Júnior! Quando chegamos em casa estava Meu Pai sentado no sofá vendo TV eu fiquei com medo dele não assumir o meu novo amigo, mas do mesmo jeito levantei a cara e disse

—Pai esse é meu novo amigo, o Júnior! Ele pode ser nosso?

E ele responde:

— ... Claro filho, mas que lindo esse cachorrinho!

E até hoje ele é nosso amigo, e o nosso guarda quando está de noite.

A leitura da redação apresentada permite a afirmar que a produção textual em suporte digital não impediu que ocorressem alguns desvios de ordem ortográfica relacionados com o uso da pontuação, por exemplo, o qual interferiu na compreensão, em alguns momentos da narrativa, como se observa no 7º parágrafo do texto – "— Doutor já foram aplicadas todas as vacinas, Pergunta a minha mãe.". Nesse trecho, peca-se no uso da vírgula após o termo 'as vacinas', em que o adequado seria a utilização do ponto de interrogação, e peca-se também ao usar o termo "Pergunta" com inicial maiúscula, após a vírgula. Esse uso seria adequado após o ponto de interrogação. Além da ausência da vírgula após o termo 'Doutor'". No entanto, isso não indica um desconhecimento do uso da variante padrão. Ao contrário, ao longo da narrativa, o autor faz uso significativo da pontuação com fim expressivo, para a produção de sentido.

Também é exemplificado um "desvio" de regência verbal, de ordem gramatical, no 6º parágrafo – "Depois de algumas horas eu e minha mãe fomos no veterinário dar-lhe as necessárias vacinas" –, o qual, igualmente, não compromete o desenvolvimento do "projeto de dizer" do texto. Aliás, destaca-se, no trecho, o uso da ênclise com verbo no infinitivo, que demonstra uma elegância textual. Assim, os exemplos ortográfico e gramatical não foram autocorrigidos pelo suporte *Word*. Esse é um indicativo que o programa não dá conta de particularidades sintáticas da língua, o que cabe ao produtor do texto conhecer para usar de forma que contribua com o propósito do texto.

O que deve ser destacado no exemplo proposto é que o autor da redação tomou posse da sua produção e desenvolveu, de maneira muito rica, a sua crônica sobre um cachorro encontrado na rua. Nesse processo de produção, o estudante ativou seu conhecimento de mundo e fez referências importantíssimas como: na necessidade de levar o animal ao veterinário, na relevância de se vacinar o animal contra doenças, na valia de comprar objetos para o cachorro no *Petshop* e, para completar, na sua consciência em relação à figura do pai, o qual é responsável por assumir a guarda do bichinho, conforme o trecho: "eu fiquei com medo dele não assumir o meu novo amigo".

Para finalizar, não se pode deixar de observar a progressão do referente cachorro no texto, em que se desenvolve a seguinte cadeia anafórica:

Um filhote ↔ isso ↔ ele ↔ ser legal ↔ pena do filhote ↔ adotá-lo ↔ dar-lhe ↔ examiná-lo ↔ dei-lhe ↔ dele ↔ o meu novo amigo ↔ o Júnior ↔ o meu novo amigo ↔ o Júnior ↔ ele ↔ lindo esse cachorrinho ↔ ele ↔ nosso amigo ↔ nosso guarda.

A tão dita coesão textual nas aulas de redação somente pode ser apreendida com o texto, a partir da "função-leitor" e da "função-autor" conforme pontuou Tedesco (2013) a respeito da autoria. A cadeia anafórica acima comprova isso. A experiência cognitiva do produtor do texto é refletida nas suas escolhas linguísticas que permitem o texto progredir no propósito de tornar-se uma crônica. Na cadeia anafórica, observa-se que o referente cachorro foi introduzido no texto e ativado, cognitivamente, como "um filhote" e terminou o texto com três recategorizações muito expressivas: "o meu novo amigo", "nosso amigo" e "nosso guarda". O personagem cachorro foi adquirindo, progressivamente, a sua identidade textual, por causa da posse do "projeto de dizer" do autor.

Conclui-se que independente do perfil do suporte, não digital ou digital, o olhar do professor, leitor privilegiado das produções textuais dos alunos, deve estar direcionado para o todo do texto. Não apenas para os desvios linguísticos, mas para as escolhas linguísticas feitas pelo estudante que definem sua experiência sociocognitiva. As possíveis variantes linguísticas podem ser reconhecidas como grãos de areia na imensidão de uma praia. Nenhum programa de computador será capaz de fazer pelo estudante um texto coeso e coerente.

CONSIDERAÇÕES FINAIS

Professor ou professora, leitor ou leitora desse texto, o propósito do presente capítulo foi dialogar sobre a produção textual escolar em suporte digital, com o fim de desconstruir o "desconforto" de propor a redação no suporte *Word*, por causa da autocorreção ortográfica e gramatical do *software*. O exemplo da redação apresentado demonstrou que o suporte digital não influencia em determinados aspectos sintáticos e semânticos que prejudicam a progressão do texto. A real função do suporte é permitir a circulação do texto digitalmente.

O que realmente deve ser considerado na produção de textos, no contexto escolar, é qual o ponto de vista está prevalecendo nas aulas de Língua Portuguesa, nas práticas de leitura e de escrita. Se for, somente, um "olhar" para o certo e o errado, prevalecerá uma "caça" aos desvios linguísticos e o projeto de dizer do aluno não acontecerá. Independente do contexto ser digital ou não digital, o uso da língua deve atender a qualquer propósito comunicativo, porque o que se espera é que a escola torne a sua significativa clientela sujeito da sua própria língua.

REFERÊNCIAS

BAKHTIN, M. M. *Estética da criação verbal*. 5. ed. São Paulo: Editora WMF Martins Fontes, 2010. Tradução P. Bezerra.

KOCH, Ingedore G. Villaça. *Desvendando os segredos do texto*. São Paulo: Cortez, 2002.

MARCUSCHI, Luiz Antônio. *Da fala para a escrita: atividade de retextualização*. 4. ed. São Paulo: Cortez, 2003.

______. *Produção textual, análise de gêneros e compreensão*. São Paulo: Parábola Editoral, 2008.

______. XAVIER, Antônio Carlos. *Hipertextos e gêneros digitais: novas formas de construção de sentido.* 3. ed. São Paulo: Cortez, 2010.

SANTOS, Cristina Normandia. *A organização discursiva do gênero digital comentário na rede social Facebook* – 2018. Tese (doutorado) Universidade do Estado do Rio de Janeiro. 269 f.: il.

TEDESCO, Maria Teresa. Educação a distância: o processo de interação e autoria em EAD na perspectiva da linguagem. In.: SIMÕES, Darcilia (Org.). *Semiótica, linguística e tecnologias de linguagem.* Homenagem a Umberto Eco. Dialogarts, 2013.

TRAVAGLIA, Luiz Carlos. *Gramática e interação: uma proposta para o ensino de gramática no 1º e 2º graus.* – 6. ed. – São Paulo: Cortez, 2001.

POR QUE E PARA QUÊ UTILIZAR AS TECNOLOGIAS DIGITAIS DE INFORMAÇÃO E DE COMUNICAÇÃO NAS AULAS DE LÍNGUA PORTUGUESA?

Érica Portas

O trabalho educativo só alcança seu propósito quando CADA indivíduo se apropria da "humanidade", produzida histórica e coletivamente, ou seja, quando o indivíduo se apropria dos elementos culturais necessários à sua formação como ser humano, isto é, necessários à sua humanização.

A educação, nesse sentido, pode servir como instrumento ideal para a mitigação das desigualdades sociais, na medida em que, por ela, os indivíduos devem – ou deveriam – ter acesso aos saberes universais e deles se apropriar.

Assim, pode-se dizer que a transmissão, por meio do processo educativo, dos conhecimentos produzidos pela humanidade é decisiva, pois o papel da educação é difundir a universalização dos saberes acumulados pelo trabalho humano – transmitir cultura. E é por meio da universalização da cultura que ocorre a possibilidade de libertação humana.

No entanto, nas décadas anteriores aos anos 1980, o ensino da Língua Portuguesa se fundamentava em uma perspectiva meramente gramatical, porquanto grande parte das escolas brasileiras era frequentada por um público que, em sua maioria, abrangia a classe média da sociedade, cuja fala se aproximava da variante padrão da língua, aquela abordada nos livros didáticos.

Nesse cenário, é cabível dizer que, nessas épocas, a proposta de ensino da linguagem se restringia aos mais favorecidos, ignorando a inserção da camada social mais baixa no ambiente escolar, bem como as consequências que a aprendizagem meramente gramatical poderia acarretar ao educando.

Contudo, esse contexto começou a se modificar com o advento das pesquisas voltadas à sociolinguística e à psicologia da aprendizagem, sobretudo em relação à aquisição da escrita. Assim, diante dessa modificação, o efeito imediato de tais estudos para o âmbito educacional foi a revisão da prática da língua, com o estabelecimento de novos currículos.

Logo, podemos afirmar que, mediante a revolução nas pesquisas linguísticas, alcançou-se – ou, pelo menos, pretendeu-se –, para além dos muros acadêmicos, a consolidação nas práticas de ensino de propostas de aprendizagem voltadas à linguagem em uso. Nessa nova conjuntura, houve a ressignificação do conceito de erro, bem como a inserção de textos reais nas aulas.

Nesse viés, considerando que as propostas de ensino da língua passaram a ter como objetivo precípuo levar o discente a refletir sobre a linguagem e, dessa maneira, compreendê-la com o fulcro de utilizá-la adequadamente nas diferentes situações comunicativas, a aprendizagem da Língua Portuguesa, por meio dos gêneros textuais, se tornou uma ferramenta imprescindível ao desenvolvimento de competências linguísticas que envolvessem as manifestações reais da Língua. Essa imprescindibilidade se deveu ao fato de os gêneros do discurso serem as realizações diretas das práticas sociais de que participam os indivíduos.

Nesse sentido, podemos verificar que o trabalho com gêneros textuais, uma vez que promove o acesso à língua nos seus diversos usos, possibilita, ou pretende possibilitar, o domínio da linguagem pelos educandos, condição fundamental para participação plena do indivíduo no ambiente social.

Essa promoção é responsável, em parte, pela humanização do indivíduo, uma vez que, através da universalização de saberes, o homem passa a se apropriar de informações, conteúdos, registros fundamentais para atuar na sociedade e nela interferir quando necessitar.

Diante de tudo que foi dissertado até agora, você, provavelmente, deve estar se perguntando o motivo de estarmos falando acerca dos gêneros textuais, já que este capítulo se propôs a discorrer sobre por que e para que as tecnologias de comunicação e informação devem ser inseridas nas aulas de Língua Portuguesa, certo? Vamos compreender.

As tecnologias digitais de informação e comunicação produziram novos gêneros textuais e ressignificaram gêneros já existentes. Dessa maneira, inseri-las nas aulas de Língua Portuguesa é fulcral e não foge aos intentos já determinados pelas propostas de ensino.

Obviamente, há outras razões para que se insiram essas tecnologias no processo de ensino-aprendizagem; no entanto, o trabalho em tela escolheu a citada, pelo fato de as tecnologias digitais de informação e comunicação serem uma ferramenta de apropriação, isto é, um instrumento pelo qual o indivíduo se apropria de outras ferramentas, os gêneros.

Componente curricular elementar dos atuais pressupostos pedagógicos de Língua Portuguesa, os gêneros textuais, como práticas sociocomunicativas, refletem as condições específicas e as finalidades dos diferentes campos das atividades humanas. Sua diversidade se origina da inesgotável variedade das situações discursivas.

Logo, a necessidade da criação de novos gêneros emerge das demandas e motivações sociais, que, muitas vezes, oferecem novas circunstâncias e novos suportes de comunicação. Assim, os gêneros são caracterizados de acordo com a atividade sociodiscursiva que realizam.

Podemos dizer que eles estabilizam as relações sociais, além de ordená-las, possibilitando que o indivíduo participe das diferentes atividades interacionais existentes na sociedade.

Portanto, ao passo que começam a conhecer e a fazer uso dos gêneros existentes, os discentes passam a se conscientizar do funcionamento da linguagem e, assim, a controlar o seu uso, bem como a finalidade da escrita, do conteúdo, do contexto. Dessa forma, desenvolvem a habilidade de lançar mão dos gêneros adequadamente, conforme os contextos discursivos em que estejam inseridos.

Com o surgimento do que nomeamos "Sociedade da Informação", novas formas de comunicação, tanto oral, quanto escrita, formaram-se. Mediante esse contexto, novos gêneros eclodiram na sociedade.

Consoante Marcuschi (2010), não são as tecnologias por si que originariam os gêneros textuais, mas a intensidade da utilização daquelas. Nesse sentido, por serem as tecnologias elementos centrais e fulcrais nas interações sociais que realizam, propiciam o surgimento de novos gêneros, os quais não são, na verdade, inovações absolutas, pois há uma certa similaridade, ou melhor, uma determinada "ancoragem" entre gêneros "novos" e "antigos".

Embora tal ancoragem seja uma realidade, é notório salientar que os novos gêneros apresentam identidade e particularidade próprias, porquanto estabelecem uma nova relação com o uso da linguagem.

Assim, é fundamental reconhecermos que, com as tecnologias, conquanto haja identificação entre os gêneros antigos e os que com elas emergiram, estes detêm particularidades que precisam ser reconhecidas pelos alunos, inclusive pelo fato de lidarem com novos modelos textuais, os quais permitem o acesso a muitas informações, sobretudo de maneira imediata.

A BNCC reconhece que, no novo cenário mundial, é indispensável ao aluno comunicar-se, ser criativo, crítico-analítico e produtivo e, para tanto, não basta acumular conteúdos. É necessário saber lidar com eles. Nesse contexto, o indivíduo requer o desenvolvimento de competências para aprender a aprender e saber manusear a informação, a qual, a cada dia, está, devido à era virtual, mais disponível.

Dessa forma, o documento designa como competência geral da educação a compreensão e utilização das tecnologias de informação e comunicação pelos alunos de maneira que eles possam acessar, produzir e disseminar informações, bem como se comunicar de forma autônoma e apropriada.

Tal designação reconhece que as tecnologias digitais da informação e da comunicação, também conhecidas por TDICs, vêm modificando a nossa forma de se relacionar com o mundo, ou seja, de se comunicar, de interagir com o outro – de usar a linguagem.

De acordo com Marcuschi (2010), os gêneros digitais emergiram no último século, criando formas comunicativas particulares, com certo hibridismo que desafia as relações entre a oralidade e a escrita, inviabilizando definitivamente a velha dicotomia presente em muitos livros didáticos.

Segundo o autor, esses gêneros permitem que se observe a maior integração entre os diversos recursos semiológicos: signos verbais, sons, imagens, formas em movimento. Essa multimodalidade ressignificou gêneros já existentes que ganharam suporte digital, bem como caracterizou os novos gêneros digitais.

Devemos salientar que o novo suporte acrescentou aos antigos gêneros novas formas de leitura e escrita, porquanto a linguagem no ambiente virtual se tornou mais "plástica".

Essas informações nos fazem refletir acerca do papel da escola em relação aos novos suportes e aos novos gêneros oriundos do ambiente tecnológico, já que as práticas sociais de leitura e escrita e os eventos em que essas práticas são postas em ação passaram por alterações:

> Se abrem possibilidades novas e imensas, a representação eletrônica dos textos modifica totalmente a sua condição: ela substitui a materialidade do livro pela imaterialidade de textos sem lugar específico; às relações de contiguidade estabelecidas no objeto impresso ela opõe a livre composição de fragmentos indefinidamente manipuláveis; à captura imediata da totalidade da obra, tornada visível pelo objeto que a contém, ela faz suceder a navegação de longo curso entre arquipélagos textuais sem margens nem limites. Essas mutações comandam, inevitavelmente, imperativamente, novas maneiras de ler, novas relações com a escrita, novas técnicas intelectuais. (CHARTIER, *Apud* SOARES, 2002, p. 152)

A produção digital, além da multimodalidade, propiciou um novo formato textual, os denominados hipertextos, que permitem subdividir um texto em partes independentes, descontínuas, mas conexas.

Logo, conforme Marcuschi (2001), o hipertexto consiste em uma rede de múltiplos segmentos textuais conectados, mas não necessariamente por relações lineares. O texto no papel impõe uma leitura linear e sequencial – da esquerda para direita, de cima para baixo, página após página –, ao passo que o hipertexto é multilinear e multisequencial.

Dessa maneira, o hipertexto não preestabelece uma ordem determinada para a leitura, isto é, nele, o leitor escolhe os caminhos que percorrerá. Nesse viés, o autor salienta que, por não manter a linearidade, típica dos textos impressos, os hipertextos exigem dos leitores significativo conhecimento prévio do assunto abordado, bem como um conceito mais amplo de coerência, pois, haja vista suas características, os hipertextos mantêm menos relações semânticas explícitas.

Nesse cenário, cabe ao leitor estabelecer a relação de significado entre as partes informacionais que lê, ou seja, entre os nós que tece para sua leitura.

As alterações nas produções de leitura e escrita também proporcionaram significativas mudanças na relação autor/leitor/texto, que, digital, passou a ser rapidamente difundido entre os leitores, tornando-se mutável, fugaz e instável.

No tocante à relação autor/leitor, o texto digital reduz a distância entre os dois, pois este é quem define, diferentemente do que ocorre nos textos impressos, a sua estrutura e sentido ao optar pelas distintas possibilidades oferecidas pelos hipertextos. Essa distância tornou o leitor mais autônomo e interferente, ao passo que delimitou o espaço do indivíduo como autor.

Diante das informações supracitadas, é perceptível que as tecnologias digitais de informação e de comunicação ativam novos processos cognitivos, recriam ou ressignificam ambientes sociais e discursivos. Logo, ambientar o aluno a tais práticas é oferecer-lhe condições cognitivas e sociodiscursivas para participar das distintas atividades humanas.

De acordo com Soares (2002), conquanto as pesquisas sobre os processos cognitivos do hipertexto envolvidos na leitura e na escrita sejam ainda pouco estudadas, a hipótese existente é a de que a mudança oriunda desse novo formato textual implique consequências sociais, cognitivas e discursivas.

Ademais, ainda segundo a autora, é cabível que tal transformação esteja configurando uma condição sociocognitiva diferenciada aos que se apropriam da nova tecnologia digital e exercem prática de leitura e escrita na tela, diferentemente do estado ou condição dos que exercem tais práticas no papel.

Assim, torna-se fundamental a inserção das tecnologias digitais de informação e de comunicação no ambiente escolar, porquanto as novas exigências sociais impõem que os indivíduos estejam aptos a manusear os diferentes gêneros emergentes do contexto digital, bem como compreendam e adotem um posicionamento crítico em relação à ressignificação sofrida pelos demais gêneros no suporte digital.

Logo, o educando deve desenvolver as competências para desempenhar tais ações, as quais abarcam tanto o domínio dos gêneros digitais, quanto dos gêneros antigos que passaram ao suporte virtual. Apenas desenvolvendo tais competências, o indivíduo será capaz de interagir com a sociedade para transformá-la.

Nesse sentido, podemos compreender as tecnologias digitais de informação e comunicação como uma ferramenta de apropriação, isto é, um instrumento pelo qual o indivíduo se apropria de outras ferramentas, os gêneros.

Segundo Schuneuwly (*Apud* TARDELLI, 2010), é inegável que a apropriação da totalidade de tais ferramentas estimula o desenvolvimento da totalidade da competência dos educandos. Para o autor, que se baseia no conceito de ferramenta de Marx e Engels, a apropriação é o desenvolvimento das capacidades individuais, que correspondem às ferramentas materiais de produção.

Diante disso, é notório que, como um instrumento de produção, os gêneros são os meios pelos quais os indivíduos agem na sociedade. Dessarte, negar ao aluno práticas que envolvam o acesso aos gêneros digitais é ceifar a possibilidade de esses atuarem em um novo contexto discursivo, o virtual, com a propriedade e a criticidade exigidas por esse poderoso cenário.

REFERÊNCIAS

ABREU-TARDELLI, Lília Santos. O chat educacional: o professor diante desse gênero emergente. In: DIONÍSIO, Ângela Paiva; MACHADO, Anna Rachel; BEZERRA, Maria Auxiliadora (Org.) (2010). *Gêneros textuais e ensino*. Rio de Janeiro: Lucerna, 2010.

ARAUJO, Eliane Vasquez Ferreira. *Internet, Hipertexto e Gêneros Digitais: Novas Possibilidades de Interação. In: Cadernos do CNLF* (CiFEFil). 2011, v. XV, p. 633-639.

BAKHTIN, M. M. *Estética da criação verbal.* São Paulo: Martins Fontes, 1997.

BRASIL. Ministério da Educação. *Base Nacional Comum Curricular.* Brasília: MEC, 2018. In: <http://basenacionalcomum.mec.gov.br/images/BNCC_EI_EF_110518_versaofinal_site.pdf> Acesso em 30/07/2020.

_______. *Parâmetros Curriculares Nacionais.* Brasília: MEC, 1998. In: <http://portal.mec.gov.br/seb/arquivos/pdf/introducao.pdf> Acesso em 30/07/2020.

COSTA, Sérgio Roberto. *Dicionário de gêneros textuais.* 2. ed. Belo Horizonte: Autêntica, 2009.

DIONÍSIO, Ângela Paiva; MACHADO, Anna Rachel; BEZERRA, Maria Auxiliadora (Org.). *Gêneros textuais e ensino.* Rio de Janeiro: Lucerna, 2010.

FACHINETTO, Eliane Arbusti. O Hipertexto e as práticas de leitura. In: *Letra Magna.* 2005, v. 3, p. 5.

GOMES, Luiz Fernando. *Hipertextos multimodais – leitura e escrita na era digital.* Jundiaí: Paco Editorial, 2010.

LIMA, Paulo Sérgio. *Os gêneros textuais e sua aplicação nas aulas de língua portuguesa.* Editora Local, 2009.

LOVATO, Cristina dos Santos. Gêneros textuais e ensino: uma leitura dos PCNs de Língua Portuguesa do Ensino fundamental. In: *Travessias.* 2009, v. 4, p. 1-18.

MAGNABOSCO, Gislaine Gracia. Hipertexto e gêneros digitais: modificações no ler e escrever? *Conjectura: filosofia e educação (UCB).* 2009, v. 14, p. 49-64.

MARCUSCHI, Luiz Antônio. Gêneros textuais: definição e funcionalidade. In: DIONÍSIO, Ângela Paiva; MACHADO, Anna Rachel; BEZERRA, Maria Auxiliadora (Org.) (2010). *Gêneros textuais e ensino.* Rio de Janeiro: Lucerna, 2010.

_______. O hipertexto como um novo espaço de escrita em sala de aula. In: *Linguagem & Ensino.* 2001, vol. 4, nº 1, p. 79-111.

MARTINS DE OLIVEIRA, Eneida; COSTA SILVA, Bruna; ARAGÃO SÁ, Jullyana Queiroz. O uso das novas tecnologias no processo de ensino-aprendizagem de língua portuguesa. In: *Iniciação & Formação Docente*. 2015, v. 1, n. 2.

RIBEIRO, Ana Elisa; VILELA, Ana Maria Nápoles; COURA SOBRINHO, Jerônimo; SILVA, Rogério Barbosa da (Orgs.). *Linguagem, tecnologia e educação*. São Paulo: Peirópolis, 2010.

SANTOS, Eliete Correia dos; SOUZA, Fábio Marques de; SOUSA, Kelly Cristina Trajano de. *Tecnologias educacionais e educação: diálogos e experiências*. Curitiba: Appris, 2016.

SOARES, Magda. *Novas práticas de leitura e escrita: letramento na cibercultura*. Educação e Sociedade, Campinas. 2002, v. 23, p.143-160.

DO FONEMA AO MEME: AS POSSIBILIDADES DO *WHATSAPP* NAS AULAS DE LÍNGUA PORTUGUESA

Higor Everson Araujo Pifano

DAS TICs ÀS TDICs

Nas últimas décadas, especialmente após a publicação dos Parâmetros Curriculares Nacionais (PCN) nos anos 1990, um novo conceito ganhou força entre as práticas de ensino e aprendizagem: as Tecnologias da Informação e Comunicação (TIC). Em um primeiro momento, as TICs foram relacionadas pelos profissionais da educação ao uso da internet e aparelhos eletrônicos em sala de aula, diversificando os instrumentos até então restritos aos livros didáticos e ao quadro.

Todavia, as TICs vão muito além dos computadores e o acesso à rede mundial e a complementação dos materiais de aula com músicas e vídeos projetados para os estudantes. Essas tecnologias englobam uma gama maior e distinta de recursos tecnológicos para a comunicação e para a informação que abrigam *hardwares, softwares* e outros ramos das telecomunicações. E esses recursos não se restringem ao computador, encontram-se também em celulares, relógios, televisores etc. Os celulares, hoje com recursos de conhecimento do toque das mãos e outras mil e uma ferramentas de edição de imagens e aplicativos de mensagens, encontram-se ao alcance de todos, o tempo todo. Os relógios que indicam o número de passos caminhados pelo usuário ao longo do dia e o número de calorias queimadas estão ganhando cada vez mais espaço. Não se pode esquecer também dos aparelhos de tevê que acessam a internet e tanto popularizaram as plataformas de *streaming* que disponibilizam filmes e séries, sem falar em ferramentas de comércio digital.

Diante disso, a evolução digital expandiu o universo das TICs, ampliando seu conceito para Tecnologias

Digitais de Informação e Comunicação (TDICs), recursos que são mencionados até mesmo no ambiente pedagógico, como na Base Nacional Comum Curricular (2017), que destaca e ressalta sua importância dentre as competências que fundamentam sua concepção para a educação básica contemporânea:

> Compreender, utilizar e criar tecnologias digitais de informação e comunicação de forma crítica, significativa, reflexiva e ética nas diversas práticas sociais (incluindo as escolares) para se comunicar, acessar e disseminar informações, produzir conhecimentos, resolver problemas e exercer protagonismo e autoria na vida pessoal e coletiva. (BRASIL, 2017, p. 9)

Apesar dos questionamentos que ainda mobiliza, a BNCC representa a normatização curricular básica do ensino no Brasil e, se até ela destaca a importância de integração das práticas de ensino às TDICs, os percursos devem ser revistos e as ações repensadas para que a tecnologia seja um instrumento a favor do professor e não mera decoração para as atividades empreendidas.

Então, como a tecnologia pode ser incorporada à sala de aula, em especial nas aulas de Língua Portuguesa?

DEFININDO A METODOLOGIA: O PRIMEIRO PASSO

Em qualquer processo didático-pedagógico no qual se busca o desenvolvimento de competências e de habilidades dos estudantes, o professor deve começar seu trabalho definindo questões como os objetivos gerais e específicos, referenciais didáticos e, principalmente, a metodologia que subsidiará a abordagem dos conteúdos e a condução das atividades.

Estabelecer ou assumir uma metodologia é determinar as regras e os caminhos a serem percorridos, ou seja, definir as etapas do processo, os resultados esperados, os conflitos possíveis e as correções de fluxo que podem ser aplicadas. Trata-se do *como fazer*.

No caso do uso das TDICs no ambiente escolar, por exemplo, o professor encontrará problemas como o da falta de internet e as barreiras impostas para o uso dos espaços destinados aos laboratórios de informática ou o manuseio de aparelhos em sala de aula, como no caso dos celulares, ainda considerados vilões para professores e para gestores educacionais.

Em pesquisa realizada no ano de 2017 pela revista *Época*, observou-se que o uso da tecnologia e o acesso à internet nas escolas avançaram no Brasil, identificando-se que a maioria das instituições já possui ao menos um computador e que 91% das unidades escolares públicas já têm acesso a uma rede sem fio. No entanto, apenas 59% dos laboratórios disponíveis nas escolas são utilizados, seja por falta de manutenção nos equipamentos disponíveis ou por preocupação da gestão escolar de ocasionar danos ao patrimônio. Isso acaba por impedir o professor de fazer uso da tecnologia em prol da aprendizagem de seus alunos, mesmo com os profissionais considerando válida e importante a inclusão digital pedagógica dos estudantes. Porém, a tecnologia está nas mãos dos estudantes sem custos para as escolas, falta apenas saber empregá-la nos momentos certos e com os objetivos corretos. Afinal de contas, guiar os alunos não é fácil, mas é dever da escola.

O CELULAR NA SALA DE AULA: UMA TDIC DE GRANDE ACESSO

A pandemia mundial de covid-19, declarada pela Organização Mundial da Saúde (OMS) em março de 2020, especialmente o Brasil, um dos epicentros da doença, trouxe para o cenário educacional uma ferramenta digital até então tratada como vilã pelos professores: o celular. Objeto presente nas mãos de grande parte da população estudantil, principalmente nas regiões mais desenvolvidas do país, os aparelhos de telefonia móvel são tidos como motivo de distração dos alunos, ainda mais com a proliferação de aplicativos de mensagens, músicas e redes sociais. Entretanto, as redes de ensino tiveram que recorrer a esse instrumento como principal meio de interação com os estudantes em suas atividades de ensino remoto. Sabe-se, no entanto, que apesar da posse maciça do aparelho, os alunos, na maioria das vezes, não possuem acesso suficiente à internet.

No entanto, a presença e o uso do celular na sala de aula ainda são questionados. Para os mais tradicionais, os aparelhos não devem nem mesmo adentrar o espaço físico das escolas, ainda mais se o estudante possuir acesso à rede. Já para diversos analistas educacionais, a possibilidade de manuseio da rede mundial de computadores nas palmas das mãos dos estudantes pode auxiliar no processo de ensino e aprendizagem.

Abreu (2020) destaca que:

> [...] o uso da tecnologia é imprescindível para que o aprendizado extrapole o ambiente da sala de

> aula. O celular permite que o aluno tenha acesso à informação que quiser, onde estiver. Somente material didático e professores não são mais suficientes para que o aluno se mantenha interessado e engajado. Utilizar o celular como uma ferramenta pedagógica pode ser um desafio, pois cabe ao docente orientar e garantir que o aparelho será utilizado apenas para fins acadêmicos. Por isso, é necessário deixar claro qual é a finalidade e quais são os momentos em que a utilização desse aparelho é propícia em ambiente escolar. É necessário que o diálogo em sala – o que inclui imposição de limites – seja eficiente a fim de que o próprio aluno entenda a importância de utilizar o aparelho da maneira adequada, tendo sua autonomia respeitada. (s.p.)

Para a pesquisadora Vani Moreira Kenski, consultada por Turolla (2020):

> No Brasil ainda não se tem essa visão da tecnologia como ferramenta de ensino, aqui ainda predominam o quadro-negro, o papel e a voz do professor. Os dispositivos poderiam ser usados para dinamizar o espaço de ensino e aprendizagem. O currículo escolar não absorve o avanço tecnológico, mas a cabeça do jovem da geração digital está ligada em tudo que é lançado no mundo, ele quer fazer parte dessa mudança, pois isso faz parte da realidade dele. (2020, s.p)

As visões de Abreu e Kenski nos remetem novamente à questão da metodologia, ou seja, sabendo empregar o recurso digital, esse poderá auxiliar na aprendizagem dos alunos e fazê-los distinguir entre os ambientes de circulação e manuseio do aparelho celular. E isso não foge às aulas de Língua Portuguesa, principal espaço de abordagem das diversas linguagens que circulam entre nós.

No caso dos celulares e similares, especialmente por conta dos recursos disponibilizados por esses aparelhos, podem ser abordadas questões de linguagem que perpassam os quatro eixos da Língua Portuguesa delineados pela Base Nacional Comum Curricular (leitura, oralidade, produção de textos e análise linguística/semiótica), sejam de modo integrado ou voltadas para especificidades de cada um. Para isso, algumas ideias podem ser destacadas, tais como as possibilidades de uso do *WhatsApp*, o principal e mais popular aplicativo de mensagens da atualidade.

POPULARIZAÇÃO DO *WHATSAPP*

Segundo pesquisa da Fundação Getúlio Vargas publicada no ano de 2019, há 230 milhões de celulares ativos no Brasil, o que excede os dados populacionais do país que giram em torno de 210 milhões de habitantes. Englobando *smartphones*, computadores, *notebooks* e *tablets*, o país tem dois dispositivos por habitante, em média.

Essa megalomania digital tem grande mercado entre o público jovem, principal consumidor de mídias sociais e conteúdos digitais como vídeos e jogos virtuais. Entre o público adulto, um conteúdo que vem se destacando são os *podcasts*, arquivos digitais de áudio transmitidos pela internet, com conteúdo variado, normalmente com o propósito de transmitir informações, ou seja, textos para ouvir. E os aplicativos de mensagens, destaque para o *WhatsApp*, são os ambientes mais utilizados para a propagação de informações e estabelecimento de diálogos, dos informais aos mais formais.

Evolução das antigas mensagens de texto, os SMSs, o aplicativo trouxe uma forma dinâmica de diálogo, especialmente para conversas rápidas, a princípio. O *WhatsApp* tem substituído em grande parte as ligações telefônicas, pois os diálogos até então breves e rápidos já vêm ganhando maior proporção e a ferramenta até então empregada para diálogos informais também tem sido ambiente para conversas profissionais e diálogos pessoais mais densos e extensos, contando até com a presença de vídeos e áudios. O velho bilhetinho digital já substitui em grande parte os *e-mails*.

Além disso, o aplicativo assumiu poder político durante as eleições presidenciais brasileiras de 2018 como plataforma de divulgação das campanhas dos candidatos, principalmente aos que pleiteavam vagas para o legislativo, porque contavam com menos tempo para propagandas na tevê e no rádio, porém sua força foi ainda maior para o embate entre aqueles que pleiteavam o cargo máximo da república. E, ainda nesse contexto político, pode-se observar um cenário delicado de uso dos aplicativos de mensagens que foi o da disseminação de *fake news*, distribuição deliberada de desinformação e boatos.

Todavia, a invasão do *WhatsApp* na vida das pessoas também despertou a criatividade dos usuários que acionam o bom humor por meio de figurinhas, áudios e memes. E aqui surge um questionamento: por que não incorporar todas essas possibilidades nas aulas? Se os jovens são adeptos ao aplicativo e, mesmo aqueles que não o possuem, gostariam de ter e utilizar a ferramenta, como destacam Araújo e Bottentuit Junior (2015, p. 12), o vilão pedagógico pode se transformar em algo produtivo, desde que integrado a práticas pedagógicas devidamente delineadas, com objetivos pedagógicos bem definidos e metodologias de ensino adequadas, revertendo a dispersão dos alunos e reduzindo os preconceitos arraigados ao manuseio do aparelho.

POSSIBILIDADES DIDÁTICAS

Tomando como material didático digital o *WhatsApp*, aplicativo de mensagens de maior popularidade entre o público consumidor de tecnologia por meio de celulares, principalmente os jovens, podemos elencar quatro cenários de uso dessa ferramenta nas aulas de Língua Portuguesa: (i) fonética e fonológica; (ii) sociolinguística; (iii) semiótica; (iv) discursivo-ideológica.

Começando pela abordagem fonético-fonológica, temos como principal exemplo o emprego da famosa linguagem digital, o popular "internetês", que saiu dos computadores e ganhou ainda mais espaço nos diálogos via celular. É muito comum o professor encontrar nas produções textuais de seus alunos palavras grafadas como nas mensagens digitais ("pq" para "porque"; "p/" no lugar de "para"; "vc" ao invés de "você", entre outros), observando-se que os estudantes têm transportado para o papel a rapidez e a economia linguística empregadas por eles em ambientes como os do *WhatsApp*. No entanto, essa contenção de letras não se dá de forma impensada, há por trás dela todo um processamento voltado, em sua maioria, aos aspectos sonoros do código linguístico, terreno fértil para os estudos de fonética e fonologia, geralmente listados para etapas como o 5º e 6º anos do

Ensino Fundamental e retomados na primeira etapa do Ensino Médio. Além disso, esse ambiente já pode subsidiar análises desde o período de alfabetização, no qual o foco está nas atividades de apropriação do sistema de escrita alfabético, em que o processo de codificação de letras e seu emprego na construção de palavras é o ponto de partida para a aquisição da fluência em leitura e da compreensão daquilo que se lê.

No caso do internetês, há geralmente uma mescla entre o som da letra e seu nome, como no caso do pronome relativo "que", grafado apenas como "q". Outro exemplo de análise interessante é a palavra "beleza", resumida em "blz", na qual se observam as seguintes características:

Figura 1 – Análise do caso de internetês[3]

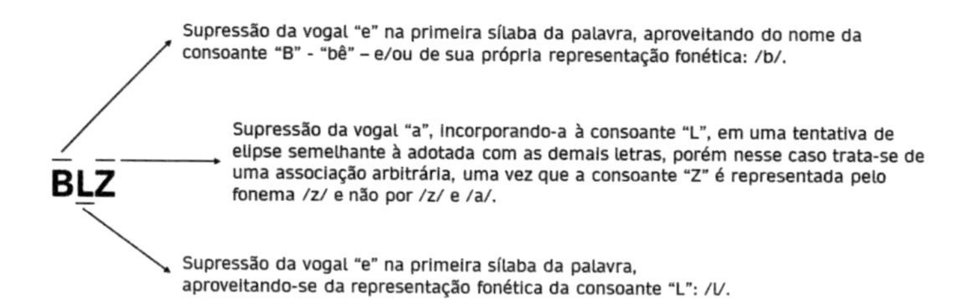

É importante empregar esses contextos linguísticos também como motivadores para a abordagem de questões conceituais e prescritivas, fazendo com que a curiosidade e o interesse do estudante sejam mobilizados a partir de algo tão corriqueiro para eles, mas que pode ser tão rico em conteúdo. No exemplo citado ("BLZ"), pode-se ainda abordar aspectos como a relação dos pares mínimos sonoros /p/ e /b/; a mudança sonora que o "L" assume quando associado ao "H", formando o dígrafo "LH"; a ausência de mudança sonora na duplicação do

3 Esquema elaborado pelo autor.

"L" em nomes próprios (aqui pode ser pego um gancho para o estudo dos estrangeirismos, entre outras coisas); e as diferentes representações contextuais de um grafema, como o "S", que assume o som /z/ em "casa" e "blusa".

Tratando-se ainda das reconstruções ortográficas motivadas pelos aspectos fonéticos, há materiais de estudo como o emprego recorrente de onomatopeias para expressar alegria e contentamento, vide "kkkkk" e "rs" (esse em associação direta com a palavra "risos"), sendo esses apenas alguns exemplos para o uso do aplicativo nas aulas de Português. Cabe destacar ainda a questão dos recursos expressivos associados ao emprego dos sinais de pontuação (às vezes inexistentes ou replicados) e de estruturas como a caixa alta (letra maiúscula), que no universo digital indicam que o locutor estaria pronunciando sua mensagem em voz alta (gritando), caso a estivesse produzindo oralmente.

Outro ponto importante a se observar também é a importância do contexto do diálogo para a construção dos sentidos, algo muito importante em todas as manifestações discursivas, pois assim o leitor/observador consegue compreender o que está sendo abordado, mesmo estando de fora do diálogo.

Quanto à abordagem sociolinguística, os meios digitais como os aplicativos de mensagens são um terreno fértil para estudos referentes à adequação linguística por meio da escrita e da oralidade, com estudos sobre as diferentes modalidades de linguagem (formal, informal, técnica etc.), ainda mais nos tempos atuais em que o *WhatsApp* passou a ser empregado como ferramenta de trabalho por comerciantes e até mesmo grandes empresas varejistas, sem falar nos profissionais autônomos. Diante desses cenários, o professor pode propor situações de interação entre contextos e/ou interlocutores distintos, de modo que se possa analisar o tipo de linguagem a ser empregado. Para isso, podem ser criados grupos de mensagens na turma para que as mensagens circulem lá e o docente, enquanto administrador do espaço, possa avaliar a compreensão dos estudantes e assegurar-se do uso correto da ferramenta.

Ainda nessa perspectiva variacional, podem ser destacados exemplos como a palavra "você", registrada nos diálogos breves para "vc", semelhante ao da palavra "beleza". O caso desse pronome de tratamento foi uma das primeiras ocorrências observadas na economia linguística digital e que se perpetua até hoje, como pode ser visto no exemplo a seguir, uma pequena mensagem encaminhada por um estudante ao seu professor durante uma aula remota para verificação do recebimento das atividades respondidas pelo jovem:

Figura 2 – Economia linguística no pronome de tratamento

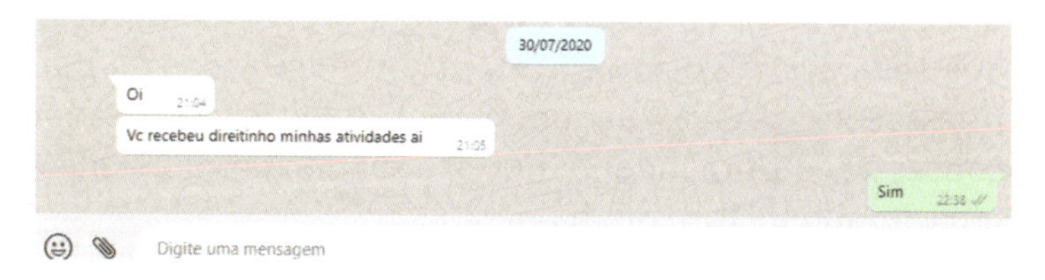

Deixando-se de lado, nesse momento, as situações de ausência de sinais de pontuação (após o "Oi") e de acentuação do advérbio "aí" (grafado "ai", alterando sua classe gramatical para interjeição e, consequentemente, seu sentido), o "vc" suscita estudos da ordem da variação linguística diacrônica, aquela que ocorre através do tempo, nesse caso, de como o "vossa mercê" tornou-se hoje "vc" em produções escritas informais, como as dos aplicativos de mensagens. E o caminho percorrido por essas palavras é interessante e complexo:

Vossa mercê > vosmicê > mercê > você > vc

Além disso, é possível trabalhar como "você/vocês" assumiu o lugar de "tu/vós" mesmo em textos com linguagem formal, exceto nos textos bíblicos, por exemplo, nos quais a pronominalização clássica mantém-se presente.

Passando para a abordagem semiótica, tem-se a possibilidade de empregar o *WhatsApp* em associação com a área de Artes, especialmente no campo do *design* gráfico, além de diversos setores da própria Língua Portuguesa. Para isso, tomamos a questão da interpretação de textos que conjugam linguagem verbal e não verbal ou apenas constituídos por elementos imagéticos. Podem ser realizadas atividades por meio da criação, interpretação e uso das figurinhas, imagens criadas por meio de editores de imagens associados ao aplicativo de mensagens para a (re)criação de imagens, geralmente de caráter humorístico, que reconstroem o significado do suporte imagético, ou seja, um tipo de meme, gênero textual de grande circulação na internet e que pode ser trabalhado em associação com outros gêneros como Charge, Cartum e Histórias em Quadrinhos.

Nesse caso, é possível trabalhar aspectos do contexto comunicativo e reconstrução de sentidos, servindo como mote para trabalhos com textos verbais e a elaboração de paródias, paráfrases, pastiches etc. No exemplo a seguir, fez-se o uso da marca de um refrigerante típico do estado do Maranhão, nordeste do Brasil, para representar uma expressão popular utilizada em momentos difíceis ou de espanto:

Figura 3 – Exemplo de recriação de imagem para a representação de uma expressão popular

No caso de figurinhas (*stickers*), pode-se afirmar que se trata de memes em miniatura, principalmente quando se atribui algum texto verbal a ele, como no caso apresentado. E os memes são materiais de grande circulação nos meios digitais e de muita popularidade entre os usuários do *WhatsApp* e de redes sociais.

O emprego da expressão "Kakakaka" foi utilizado para sinalizar que o participante da conversa considerou a figurinha engraçada e sua forma de representar o riso por escrito foi com a repetição da sílaba "ka", remetendo ao som de uma gargalhada, como discutido anteriormente na abordagem fonética.

Outro material fornecido pelos aplicativos de mensagens que podem ser abordados em atividades acerca da conjugação do verbal e do não verbal são os *emojis*, o primeiro recurso disponibilizado pelas ferramentas de troca de mensagens lá no início dos anos 2000 e que também vêm sofrendo transformações com a popularização das figurinhas. Na sequência, observa-se a versão original de um *emoji* disponibilizado originalmente pelos aplicativos e, ao lado, uma de suas recriações:

Figura 4 – *Emoji* original

Figura 5 – Versão recriada do *Emoji*

Os casos do guaraná e do *emoji* são algumas das possíveis leituras semióticas de suportes textuais, podendo-se expandir para outras discussões sobre a reconstrução de sentidos, aplicáveis em diferentes etapas da educação básica, conforme os objetivos pretendidos.

Partindo agora para a abordagem discursivo-ideológica, é possível destacar o *WhatsApp* como ambiente para distribuição deliberada de desinformação ou boatos, as chamadas *fake news* (notícias falsas, em tradução livre), tema de grande relevância social na atualidade. O estudo desse tipo de material pode ter como foco os estudantes das etapas concluintes do Ensino Fundamental (8º e 9º anos) e os das três etapas do Ensino Médio, quando os gêneros informativos e argumentativos são mais abordados nas aulas de Português.

Pode-se propor que os estudantes coletem postagens (textos, áudios ou vídeos) que tenham recebido e que abordem fatos, opiniões e informações sobre as quais desconhecem a origem ou a veracidade. De posse desse material, o professor levará os estudantes a analisarem, por exemplo, os operadores argumentativos empregados para a construção da coesão textual e que são responsáveis por articular as partes do texto, conferindo a elas a intenção desejada pelo autor. Isto é, como a mensagem foi manipulada.

No caso dessas mensagens falsas, podem ser propostas ainda discussões e análises com professores de outras áreas para se analisar o que é declarado, como informações científicas, ideologias, entre outras vertentes. O mais importante aqui é mostrar para o estudante que todo discurso é dotado de um objetivo comunicativo, uma ideologia, ou seja, o autor não o produz de modo gratuito, uma vez que pretende mobilizar o seu interlocutor de alguma maneira, como apontado por Bakhtin em *Marxismo e filosofia da linguagem* (1990). Um exemplo dessa propagação ideológica é o poder que as *fake news* assumiram no cenário político brasileiro e na pandemia pelo coronavírus, covid-19.

Todavia, cabe reforçar que o professor deve propor ao estudante ambientes de discussão e apropriação de conhecimentos para a construção de sua própria identidade ideológica e não uma mera reprodução dos pensamentos do docente. O aluno tem que diferenciar o que é fato do que é *fake*, o porquê de isso ser mentira e como identificar a origem dessas ideias.

CONSIDERAÇÕES FINAIS

É quase um coro no cenário educacional de que a escola deve criar sujeitos críticos e capazes de interagir e intervir no meio em que circulam de modo adequado. No entanto, os professores ainda encontram carências múltiplas cuja resolução fogem às suas alçadas, mas no tocante à sala de aula e à forma como conduzem suas aulas, transferindo para os alunos o conhecimento e promovendo o desenvolvimento de competências e habilidades, ninguém poderá intervir de modo direto além dele, pois o professor é o observador do processo contínuo de aprendizagem estabelecido ao longo de um período de escolarização e o principal exemplo de como o conhecimento é algo importante, seja na esfera pragmática ou utilitária.

Assim sendo, propõe-se aqui nesse texto uma reflexão didática de como a adoção dos aplicativos de mensagens nas aulas não significa abdicar-se das regras de conduta comportamental oferecidas pela escola aos estudantes. Trata-se de aliar essa ferramenta às aulas de modo satisfatório, fazendo com que o estudante se sinta motivado e consciente das possibilidades ofertadas pelas Tecnologias Digitais de Informação e Comunicação e, também, dos seus conflitos.

REFERÊNCIAS

ARAÚJO, P. C.; BOTTENTUIT JUNIOR, J. B. *O aplicativo de comunicação WhatsApp como estratégia no ensino de Filosofia.* Temática, ano XI, n. 2, fev. 2015. Disponível em: <http://www.okara.ufpb.br/ojs/index.php/tematica/article/viewFile/22939/12666> Acesso em: 20 jul. 2020.

BAKHTIN, M. M. *Marxismo e filosofia da linguagem.* Hucitec: São Paulo, 1990.

BRASIL. Secretaria de Educação Básica. *Base Nacional Comum Curricular*. Brasília: MEC, 2017.

________. Secretaria de Educação Fundamental. *Parâmetros Curriculares Nacionais: 3º e 4º ciclos do Ensino Fundamental – Língua Portuguesa.* Brasília: MEC, 1998.

TUROLLA, Liliane. *Celular na escola: vilão ou aliado pedagógico?* Disponível em: <https://tribunademinas.com.br/noticias/cidade/26-10-2014/celular-na-escola-vilao-ou-aliado-pedagogico.html>. Acesso em 28 jul. 2020.

Brasil tem 230 milhões de *smartphones* em uso. *Época negócios, Tecnologia.* Disponível em: <https://epocanegocios.globo.com/Tecnologia/noticia/2019/04/brasil-tem-230-milhoes-de-smartphones-em-uso.html>. Acesso em: 25 jul. 2020.

PRÁTICAS DE LINGUAGEM POR MEIO DOS GÊNEROS DISCURSIVOS MEDIADAS PELAS TECNOLOGIAS DIGITAIS

Izilene Leandro da Silva

INTRODUÇÃO

O cenário atual da pandemia covid-19[4] nos faz refletir sobre uma infinidade de temas e, aqui, vamos considerar, em nossa proposta de aula, temas relacionados a três áreas: das Ciências Naturais, da Saúde e da Educação. Tal contexto faz-nos tomar atitudes acerca das necessárias transformações de comportamento, sendo primordial a conscientização de cada um em ser incluído nesse novo protocolo de vivência e de convivência, em que o isolamento social é o caminho mais eficaz para se evitar a propagação do vírus. Com base nessa perspectiva, neste tempo e espaço atual, vimos emergir a importância das tecnologias digitais e a linguagem virtual, um outro cenário que tem propiciado uma nova realidade de viver, atingindo o espaço escolar como um todo. Isto tem exigido de todas as pessoas e as instituições novos fazeres e novas atitudes.

Acreditamos que, enquanto professores, devemos trazer para as aulas as temáticas atuais articulando-as ao ensino remoto, nova exigência no campo educacional, em virtude da pandemia. O intuito principal desta proposta é contribuir com o desenvolvimento de

4 Neste texto, utilizaremos a grafia "covid-19", por ser uma doença (palavra feminina), e, portanto, usamos os adjuntos adnominais na sua forma feminina, por exemplo: "a covid-19". Em nossa língua materna, as siglas são escritas com iniciais maiúsculas e as doenças são escritas com iniciais minúsculas, por isso, nossa opção em grafar a palavra como doença (escrita com iniciais minúsculas). No contexto atual, a grafia da "covid-19" ainda é diversificada, principalmente na esfera jornalística, pois a doença é nova, a grafia é nova e ainda não há uma consolidação dessa escrita. Cabe ao autor de textos, neste período de transição e novidade, optar por seguir os critérios que forem mais adequados aos contextos de suas práticas de linguagem.

habilidades e de competências, tanto de professores, quanto de alunos, a fim de promover o pensamento crítico e a responsabilidade em virtude desse novo modo de viver. A Base Nacional Comum Curricular, BNCC (2017), coloca ênfase no uso das tecnologias digitais, o percurso e o suporte que apoiam amplamente o professor nestes tempos atuais.

Nesse contexto, apresentamos um plano de aula de ensino de Língua Portuguesa realizando, com base na leitura dos textos sugeridos, uma intertextualidade (internamente elaborada no plano) com as áreas das Ciências da Natureza, da Saúde e da Educação como um todo, por sugerirmos um material temático sobre o coronavírus que funcionará como pretexto para o trabalho com as práticas de linguagem selecionadas para esta proposição. A meta é criar espaços para reflexão sobre a temática e para exercícios de leitura, de escrita e sobre fatos da Língua. Ressaltamos que outras áreas do conhecimento ou componentes curriculares (denominação trazida pela BNCC e que conhecemos como "disciplinas") podem contribuir para o enriquecimento desta proposta, pelo viés de suas especificidades/saberes e por meio do uso das tecnologias digitais.

SOBRE OS GÊNEROS TEXTUAIS

O desenvolvimento das ações propostas neste plano envolve o estudo de três gêneros textuais: História em Quadrinhos (HQ), Cartilha e Vídeo.

Das HQs, temos uma observação a fazer: hoje, a maioria das pessoas veem as Histórias em Quadrinhos com novos olhares, um gênero textual que passou a ser lido cada vez mais, principalmente por crianças, adolescentes e jovens, conforme aponta a 4ª edição da pesquisa (realizada em 2015), desenvolvida pelo Instituto Pró-livro intitulada *Retratos da Leitura no Brasil* (FAILLA, 2016).

Em se tratando do gênero HQs, não podemos deixar de mencionar a revista que conquistou visibilidade e espaço na vida dos leitores brasileiros que é a publicação dos trabalhos do cartunista e empresário Mauricio de Sousa, repleto de histórias e personagens. Sua criação teve origem em 1959 por meio das tirinhas de jornal, em que os personagens principais eram o cãozinho Bidu e o Franjinha. Dessas tirinhas, nasceu a série de histórias em quadrinhos denominada *Turma da Mônica* (AIDAR, 2019).

Após essas premissas, e detalhes importantes sobre as HQs, temos a ressaltar a importância do ensino da Língua Portuguesa por meio dos gêneros discursivos com base na Lei de Diretrizes e Bases da Educação Brasileira, LDB n. 9394/96, e nos Parâmetros Curriculares Nacionais (BRASIL, 1997), os quais legitimam e orientam os professores a trabalharem as práticas de linguagem pautadas em textos e seus contextos. Nessa perspectiva, os gêneros discursivos movimentam as estratégias de ensino da Língua Portuguesa, um recurso linguístico e multissemiótico que atende ao trabalho variado das temáticas para o estudo da língua.

A estrutura composicional, o conteúdo e o estilo são os três elementos pelos quais identificamos um gênero discursivo (BAKHTIN, 2010), que aqui adotaremos o termo gêneros textuais. Com base na teoria da linguagem do filósofo russo, podemos falar em composição tridimensional do gênero.

Queremos apresentar também um pouco dos elementos desse todo enunciativo-discursivo que chamamos de texto, gênero textual ou gênero discursivo (BAKHTIN, 2010). Em nossa proposta de aula, como anunciamos anteriormente, estarão presentes o gênero HQ, Cartilha e Vídeo, três universos textuais que carregam em si uma articulação entre linguagens, verbal e não verbal.

O gênero discursivo HQs é composto por narrativas sequenciadas em quadrinhos, com balões para a representação das vozes, com imagens ou desenhos, onamatopeia para representar sons diversos, podendo aparecer em formato impresso ou digital. Atende a todas as idades, da criança ao idoso e versa sobre variados assuntos. O gênero discursivo Cartilha é composto por linguagem informativa, instrucional, orientativa, educativa, aliás de muitas configurações, traz palavras e imagens, também disponíveis no formato impresso ou digital, pode ser associada a um manual didático (AUROUX, 1992), e, ao mesmo tempo, pode falar sobre comportamento e conduta, apresentar conselhos etc. A linguagem da cartilha e a temática e público leitor pode ser bem diferenciada.

O gênero discursivo Vídeo é um texto gerado em um sistema de gravação e reprodução de imagens, acompanhadas de sons ou de palavras (ou ambos, imagens com sons e palavras), e gerado em uma banda magnética. Antes, tínhamos os vídeos analógicos (VHS, Betamax) e, agora, precisamos aprender cada vez mais os vídeos em formatos digitais, como DVD, MPEG-4 etc. (CONCEITO DE, 2012).

BALIZAS CONCEITUAIS

Ao utilizarmos os gêneros textuais, reportamo-nos aos pressupostos da teoria bakhtiniana, que concebe os textos (gêneros discursivos) produzidos na esfera da vida (gêneros primários) e na esfera da Arte (gêneros secundários). Aqui, os gêneros HQ, Cartilha e Vídeo pertencem ao conceito de gêneros primários, ou seja, os textos produzidos no âmbito da vida cotidiana, nas diversas esferas e campos da atividade humana (esfera jornalística, esfera da educação, esfera científica etc.). Já os textos secundários ou gêneros secundários referem-se aos textos produzidos na esfera da Arte, que adquirem valor artístico, dotados de literariedade, a exemplo dos textos literários e textos pictóricos (PONZIO, 2017).

Em relação às práticas de linguagem da nossa Língua Portuguesa, em relação ao código verbal, propomo-nos ao trabalho com a coesão. Dessa forma, adotamos a perspectiva da pesquisadora e professora Koch (2010), ao afirmar que o conceito de coesão textual "diz respeito a todos os processos de sequencialização que asseguram (ou tornam recuperável) uma ligação linguística significativa entre os elementos que ocorrem na superfície textual" (KOCH, 2010, p. 14).

Para Koch (2010), os principais mecanismos de coesão referencial – pois se trata da relação entre os termos/as palavras na frase – são descritas no quadro a seguir.

QUADRO 1 – Coesão referencial

Tipos de coesão	Como se dá a referenciação
Referência exofórica	É a referência a algo não expresso no texto, portanto, podemos dizer que é a referência a algo extralinguístico (fora do texto).
Referência endofórica	Referente expresso no texto através de anáfora e catáfora.
Referência pessoal	Pronomes pessoais e possessivos.
Referência demonstrativa	Pronomes demonstrativos e advérbios.
Referência comparativa	Efetuada por via indireta, por meio de identidades e similaridades.
Substituição	Utiliza de termos que são capazes de fazer referência a outros termos dentro do texto, com destaque para os pronomes.
Elipse	Uma substituição por zero: omite-se um item lexical, um sintagma, uma oração ou todo um enunciado, facilmente recuperável pelo contexto.
Conjunção	Principais tipos de conjunção, a aditiva, a adversativa, a causal, a temporal e a continuativa.
Lexical	A reiteração e a colocação. A reiteração se faz por repetição do mesmo item lexical ou através de sinônimos, hiperônimos, nomes genéricos.

FONTE: Elaborado pela autora com base na pesquisa de Koch (2010).

Ao todo são nove os tipos de coesão, de estratégias que podem ser desenvolvidas no texto com relação à referenciação. De acordo com a pesquisadora Cavalcante (2014), "o processo da referenciação diz respeito à atividade de construção de referentes (ou objetos de discurso) depreendidos por meio de expressões linguísticas específicas para tal fim" (CAVALCANTE, 2014, p. 98). Nessa perspectiva, "a referenciação é a ação de referir" (CAVALCANTE, 2014, p. 102), pois trata-se de características que compreendem a construção de referentes no texto, principalmente utilizadas em atividades que trabalham com textos da realidade.

Para o conceito de sequência didática (SD), noção metodológica que utilizamos para a elaboração da trilha de ensino e aprendizagem em nossa proposição de aula, aportamo-nos nos autores Dolz, Noverraz e Schneuwly (2004), os quais pontuam que "uma sequência didática é um conjunto de atividades escolares organizadas, de maneira sistemática, em torno de um gênero textual oral ou escrito" (DOLZ; NOVERRAZ; SCHNEUWLY, 2004, p. 82-83).

Diante dessas perspectivas teóricas e dos documentos oficiais da Educação (LDB, PCNs e BNCC), passamos propriamente à nossa proposição de aula de Língua Portuguesa com atividades elaboradas para uma turma de 6º ano do EF, partindo da leitura dos textos que sugerimos.

APRESENTANDO NOSSA PROPOSIÇÃO DE AULA

Esta proposta de atividades para o ensino de Língua Portuguesa é mediada pelo uso de tecnologias digitais. A finalidade da sequência didática e das atividades é a de desenvolver habilidades na identificação e no reconhecimento dos recursos coesivos e seus efeitos de sentido no texto. O planejamento foi realizado para aulas destinadas ao 6º ano do Ensino Fundamental (EF – anos finais), podendo ser adaptado para outras turmas do Ensino Fundamental (anos iniciais ou finais), bem como para o Ensino Médio.

Ainda neste plano de aula, buscamos abarcar, em especial, os objetos do conhecimento a saber: identificação dos elementos coesivos, interpretação e compreensão dos efeitos de sentido provocados pelos usos desses recursos linguísticos e multissemióticos, bem como por meio da reflexão sobre a semântica e a coesão.

A Língua Portuguesa tem uma série de *habilidades*, as quais estão relacionadas a diferentes *objetos de conhecimento* (o que compreendemos por conteúdos, conceitos e processos), organizados sempre em *unidades temáticas*. As unidades temáticas, segundo a BNCC (2017, p. 29), "definem um arranjo dos objetos de conhecimento ao longo do Ensino Fundamental adequado às especificidades dos diferentes componentes curriculares". Além disso, cada "unidade temática contempla uma gama maior ou menor de objetos de conhecimento, assim como cada objeto de conhecimento se relaciona a um número variável de habilidades [...]" (BRASIL, 2017, p. 29).

As unidades temáticas no componente curricular de Língua Portuguesa vão se chamar "práticas de linguagem"; nas demais áreas e componentes curriculares permanecem sendo denominadas por "unidades temáticas".

A seguir, apresentamos a nossa planificação de aula sugerida:

QUADRO 2 – Proposta de ensino de Língua Portuguesa

Práticas de linguagem	Objeto(s) de conhecimento	Habilidades
Leitura	Reconstrução da textualidade e compreensão dos efeitos de sentidos provocados pelos usos de recursos linguísticos e multissemióticos.	(EF69LP47[5]) Analisar, em textos narrativos ficcionais, as diferentes formas de composição próprias de cada gênero, os recursos coesivos que constroem a passagem do tempo e articulam suas partes, a escolha lexical típica de cada gênero para a caracterização dos cenários e dos personagens e os efeitos de sentido decorrentes dos tempos verbais, dos tipos de discurso, dos verbos de enunciação e das variedades linguísticas (no discurso direto, se houver) empregados, identificando o enredo e o foco narrativo e percebendo como se estrutura a narrativa nos diferentes gêneros e os efeitos de sentido decorrentes do foco narrativo típico de cada gênero, da caracterização dos espaços físico e psicológico e dos tempos cronológico e psicológico, das diferentes vozes no texto (do narrador, de personagens em discurso direto e indireto), do uso de pontuação expressiva, palavras e expressões conotativas e processos figurativos e do uso de recursos linguístico-gramaticais próprios a cada gênero narrativo.

5 "Cada objetivo de aprendizagem e desenvolvimento é identificado por um código alfanumérico cuja composição é expli-

Práticas de linguagem	Objeto(s) de conhecimento	Habilidades
Análise linguístico/ semiótica	Semântica. Coesão.	(EF06LP12) Utilizar, ao produzir texto, recursos de coesão referencial (nome e pronomes), recursos semânticos de sinonímia, antonímia e homonímia e mecanismos de representação de diferentes vozes (discurso direto e indireto). (EF07LP12[6]) Reconhecer recursos de coesão referencial: substituições lexicais (de substantivos por sinônimos) ou pronominais (uso de pronomes anafóricos – pessoais, possessivos, demonstrativos).

FONTE: Elaborado pela autora com base na BNCC (2017).

---

cada a seguir: EF (primeiro par de letras indica a etapa de Educação Fundamental), 69 (O primeiro par de números indica o ano (01 a 09) a que se refere a habilidade, ou, no caso de Língua Portuguesa. O segundo par de letras indica o componente curricular: LP = Língua Portuguesa) 47 (O último par de números indica a posição da habilidade na numeração sequencial do ano ou do bloco de anos" (BRASIL, 2017, p. 28).

6 A nossa proposição de aula foi estruturada para o 6º ano do Ensino Fundamental, porém acrescentamos essa habilidade (reconhecer recursos de coesão referencial) atribuída ao 7º ano na certeza de que os alunos do 6º ano também podem – além de identificar e conhecer – reconhecer os elementos coesivos presentes no texto – objeto de estudo.

A seguir, passamos a apresentar a transposição didática de nossa proposta de aula no viés da metodologia de sequência didática (DOLZ; NOVERRAZ; SCHNEUWLY, 2004).

Organização das oficinas

Em virtude da pandemia, o ensino não presencial ganhou o contorno de ensino remoto. Por isso, aqui iniciamos sugerindo alguns recursos para a realização desta proposição.

1. Recursos sugeridos

- Necessários: canais de comunicação (como *Telegram*, *WhatsApp* ou *e-mail*). A finalidade é o envio das atividades e das orientações (que podem ser também escritas em documento de texto e disponibilizadas aos pais e/ou responsáveis).
- Opcionais (caso o professor não participe de uma rede que ofereça tal suporte tecnológico): canais para aulas *on-line* como o *Google Meet* ou *Zoom*; aulas gravadas e disponibilizadas em canal de *YouTube*; *Google Docs*, *Google Drive*.

1.1 Material multimidiático

Selecionamos três cartilhas disponíveis *on-line* e um vídeo. Materiais multimidiáticos que versam sobre as formas de combate e prevenção à covid-19.

a) Duas cartilhas da Turma da Mônica produzidas pela Mauricio de Sousa Produções, em parceria com a UNICEF, com informações sobre como prevenir o contágio pelo coronavírus e proteger a quem se ama da covid-19, além de um vídeo falando da mesma temática.

- A cartilha: *Orientações sobre o coronavírus* (MSP, 2020)
- A cartilha: *Como usar máscaras para se proteger contra o coronavírus* (MSP, 2020).

b) O vídeo no *YouTube* produzido pela Mauricio de Sousa Produções (MSP, 2020), em que o pai da Turma da Mônica manda um recado importante para as crianças, em especial. Logo em seguida, os personagens da turma cantam a música: "Sem abraço, sem beijinho, sem aperto de mão. Não é desprezo é apenas proteção".

c) A cartilha *Combate ao Covid-19: todos pela saúde de todos* foi elaborada por Alexandre Montandon e publicada pela empresa Qualidade em Quadrinhos, a qual está disponibilizando gratuitamente o material.

1.2 As etapas das Oficinas

A sequência didática pensada, planejada sistematicamente para atingir os objetivos de aprendizagem serão chamadas aqui de "oficinas" e cada uma tem sua(s) etapa(s) a ser percorrida e a ser(em) alcançada(s). Chamamos de "oficinas" cada fase do percurso pedagógico de desenvolvimento de nosso plano de aula com base nos cadernos pedagógicos, por exemplo o de memórias literárias (CLARA *et al*, 2019), criados no âmbito do Programa Olimpíada de Língua Portuguesa Escrevendo o Futuro, desde 2008. Nesses cadernos da Olimpíada, o viés do pensamento teórico e prático das pesquisas de Dolz, Noverraz e Schneuwly (2004) faz a travessia, bem como os conceitos de texto e de gênero da teoria bakhtiniana.

OFICINA 1: Lendo e visualizando os textos multimidiáticos

- Motivar a leitura das três cartilhas e a visualização do vídeo (conteúdo multimídia) antecipadamente ao dia da aula dialogada sobre a temática e os gêneros.

Etapas e orientações:

- Solicitar aos alunos (por escrito ou por áudio) para lerem as cartilhas, disponibilizando, em seguida, o *link* das cartilhas por meio de mensagem escrita (no canal criado para a turma, no grupo de *WhatsApp* ou grupo/canal do *Telegram*).
- Tal atividade deve ser realizada na metodologia da aula invertida, ou seja, o aluno lê o texto antes da aula em que serão discutidas as questões de linguagem acerca dos textos e conteúdos multimidiáticos. Nesse momento, os textos já devem estar postados em uma plataforma digital, podendo ser o *padlet.com* ou na plataforma ofertada pela rede de ensino ao qual o professor está vinculado.
- Estabelecer um prazo para que os alunos realizem a leitura dos textos (cartilhas e vídeo). Auxiliar todos os alunos pelo canal de comunicação já acordado entre professor e alunos (comunicação também acompanhada pelos pais).

OFICINA 2: Dialogando sobre os gêneros HQ, Cartilha e Vídeo e suas temáticas

- Compreender a composição dos gêneros e o que os diferencia.

- Sensibilizar os alunos para as emoções vivenciadas no contexto atual de pandemia.

Etapas e orientações:

- O objetivo da aula dialogada é a de trabalhar estrategicamente o ensino sobre os aspectos tridimensionais do gênero HQ, Cartilhas e Vídeo.
- Para aulas de 50 minutos, disponibilizar duas para tratar desses assuntos, contando sempre com indicações de pesquisas extras e direcionadas à temática da aula para outras leituras fora do ambiente escolar.
- Marcar o dia da aula utilizando os canais *on-line* (*Google Meet, Teams, Telegram*).
- Iniciar a conversa com os alunos lendo trechos dos textos. Depois, seguir fazendo perguntas. O que cada título sugere? De que tratam os textos multimidiáticos? Quais são os tipos de linguagens utilizadas para a abordagem dos temas? Quais são os personagens? Como se dá a narrativa em cada texto multimidiático? Qual deles despertou maior curiosidade ou trouxe mais informações?
- O professor pode elaborar um roteiro com imagens e questões em documento de textos ou em *Power Point* para apresentar aos alunos durante a aula, compartilhando a tela concomitantemente ao momento da conversa, como um guia para as reflexões em aula *on-line*.

OFICINA 3 – Os elementos coesivos

- Estudar e aprender a usar os elementos coesivos.
- Identificar palavras usadas na função de referenciação (coesão) nas cartilhas.

Etapas e orientações:

- Selecionar trechos das três cartilhas e apresentá-los em *Formulários Google* com as questões para os alunos responderem acerca do uso dos elementos coesivos.
- Determinar um tempo para a resolução individual ou em grupos, orientando os alunos de que podem se comunicar entre eles pelos canais do grupo e que, certamente, por serem nativos da era digital, terão muitas facilidades no uso das tecnologias.
- Entregar como tarefa aos alunos a adaptação de trechos das cartilhas. A adaptação traz a repetição de palavras e expressões, o que atrapalha a progressão textual. Os alunos devem observar e perceber tais repetições.
- O professor deve marcar o dia de entrega da atividade, via *e-mail* ou por imagem enviada no canal informado pelo educador.
- De posse das respostas dos alunos, o professor pode retomar a discussão linguística sobre os elementos coesivos e esclarecer as dúvidas em aula dialogada.

ETAPA 4 – Produção de um texto escrito, oral ou multissemiótico

- Produzir um texto coletivo ou individual.

Etapas e orientações:

- Essa etapa é pensada como o fechamento dessa sequência de estudo e, também, pensada como avaliação da aprendizagem, na modalidade processual.
- Como atividade final, solicitar aos alunos que produzam um texto digital (escrito, oral ou multissemiótico), individual ou em grupo, podendo ser, por exemplo: álbum digital, vídeo de curta-metragem, música, *podcast*, HQ, cartilha etc.
- O produto digital deverá falar sobre os temas refletidos por meio das cartilhas e do vídeo, de modo que o aluno, individualmente ou em grupo, deverá argumentar ao seu leitor-ouvinte de que a saúde é essencial, de que o cuidado com o outro é primordial e um ato de amor, e que os protocolos são importantes para a diminuição das incidências de mortes pela doença covid-19.
- Comunicar que o produto criado pelos alunos será compartilhado em um *blog* (ou em um canal no *Telegram*) criado pelo professor com participação dos alunos.
- Caso haja possibilidade, realizar uma reunião em um dos canais de comunicação acordados para as aulas com a finalidade de concluir a temática e apresentar os produtos aos pais ou responsáveis.
- Elaborar os convites (por áudio ou em mensagem escrita) às famílias.

- Os alunos farão uma apresentação do seu produto digital no tempo de 5 minutos, seguindo os moldes de um webinário – uma conferência *on-line* ou videoconferência com intuito educacional.

1.3 Algumas atividades complementares e avaliativas

As atividades complementares podem ser criadas em *Formulários Google* (inserindo-se imagens, textos verbais etc.) e, só então, compartilhadas como tarefas aos alunos, os quais responderão *on-line*. Essas atividades também podem ser computadas como atividades avaliativas, se pensarmos na modalidade de avaliação processual, de forma contínua, considerando-se a participação, o envolvimento e o progresso dos alunos nas tarefas resolvidas, bem como o seu desenvolvimento nas habilidades planejadas neste plano de aula.

Aqui, faremos algumas sugestões de atividades, recortando alguns excertos das cartilhas que são os objetos de estudo em nosso plano de aula. Se o professor preferir, pode também criar as atividades em *Power Point*, e disponibilizá-las em imagem por meio do grupo de *Telegram* (ou outro canal escolhido para comunicação com os alunos e pais) em uma aula *on-line*, de forma que os alunos possam, dialogando, responderem de forma coletiva. E ao professor cabe toda forma de registro das aprendizagens e da evolução dos alunos, das atividades respondidas, seja por meio de notas, fotos, aplicativos, formulários.

ATIVIDADE 1

1. Leia a cartilha *Como usar máscaras para se proteger contra o coronavírus* (texto especialmente elaborado pela Mauricio de Sousa Produções – Turma da Mônica).
2. Depois da leitura, preencha os espaços em branco, utilizando os elementos coesivos que deem sentido ao texto, de modo que o texto seja informativo como é a função da linguagem na cartilha (a de informar as pessoas, orientar).

[Professor, essa atividade pode ser elaborada em plataforma digital ou em *Word*, compartilhada via *WhatsApp* em PDF para o aluno que não tenha disponibilidade de meios digitais – nesse caso, o aluno deve copiar e responder no caderno.]

POR QUE O USO DA MÁSCARA É IMPORTANTE?

O coronavírus pode ser espalhado por gotículas suspensas no ar ....pessoas infectadas conversam, tossem ....espirram.

Muita gente pode ter o vírus ....saber .... contaminar outras.............

............., o uso de máscaras é importante para que todos se protejam, em casa e em locais como supermercados, farmácias e transporte público.

As máscaras faciais caseiras ou industrializadas, ...não hospitalares, não fornecem total proteção contra a contaminação, mas reduzem a possibilidade de ....acontecer.

1. Depois de preencher as lacunas, verifique se os elementos coesivos foram utilizados de forma adequada, ou seja, conforme o sentido do texto. Compartilhe os resultados com os colegas.

ATIVIDADE 2

1. Leia a cartilha da Turma da Mônica intitulada *Orientações sobre o coronavírus* e responda às questões.

A cartilha:

Quem é o autor da cartilha?	
Em que ano foi publicada?	
Em que cidade/estado está a sede da Editora que publicou a cartilha?	
Qual o nome da Editora que publicou a cartilha?	
Qual é o tipo de suporte que abriga a cartilha?	
Qual é o público leitor? A quem deve interessar ler a cartilha?	

ATIVIDADE 3

FIGURA 1 – Texto 01

FONTE: MONTADON, 2020.

FIGURA 2 – Texto 02

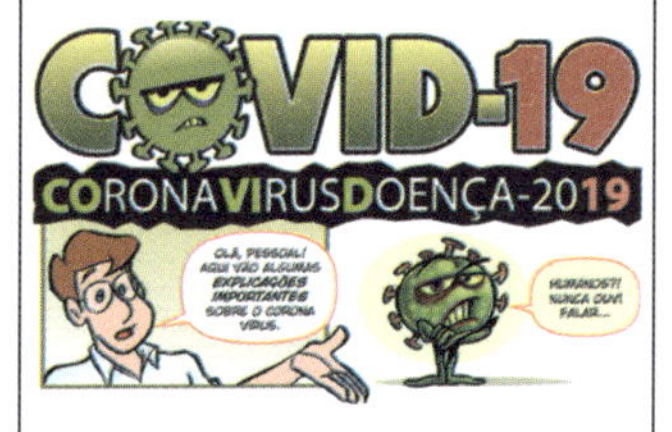

FONTE: MONTADON, 2020, p. 2

Com base no texto ao lado, ***Combate ao Covid-19 – todos pela saúde de todos,*** responda:

Qual é o sentido produzido pela ilustração no texto 1, levando-se em conta as formas, desenhos, letras, cores e palavras?
E no texto 02, qual é o efeito de sentido emanado pela ilustração?

Quais os personagens que ganham vida nas ilustrações do texto I e do texto II? Como eles aparentam estar fisicamente?

Como os personagens se apresentam ao leitor?

ATIVIDADE 4

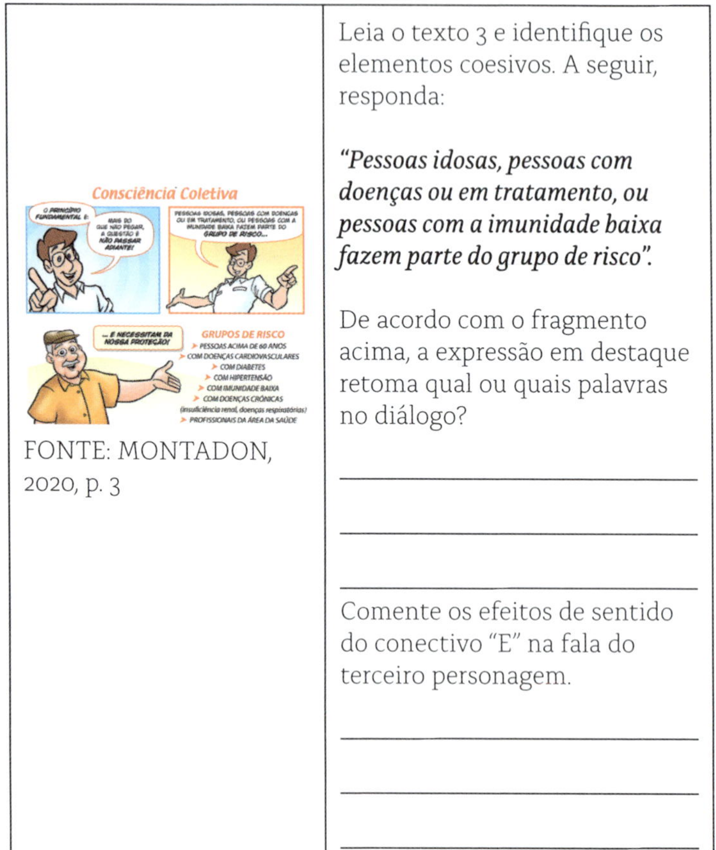

FONTE: MONTADON, 2020, p. 3	Leia o texto 3 e identifique os elementos coesivos. A seguir, responda: ***"Pessoas idosas, pessoas com doenças ou em tratamento, ou pessoas com a imunidade baixa fazem parte do grupo de risco".*** De acordo com o fragmento acima, a expressão em destaque retoma qual ou quais palavras no diálogo? ____________________ ____________________ ____________________ Comente os efeitos de sentido do conectivo "E" na fala do terceiro personagem. ____________________ ____________________ ____________________

CONSIDERAÇÕES FINAIS

Partindo da perspectiva enunciativo-discursiva de Bakhtin (2010), principalmente do conceito de *gêneros do discurso* e da *sequência didática*, de Dolz, Noverraz e Schneuwly (2004), podemos afirmar que nossa proposta de aula de Língua Portuguesa foi organizada para fornecer alguns subsídios e sugestões didáticas, principalmente teóricas e práticas, mediadas pelas tecnologias digitais, aos docentes, de modo que conhecessem e se apropriassem um pouco mais dessas concepções e instrumentos digitais para uma melhor aplicabilidade no desenvolvimento das aulas, especialmente neste tempo de ensino remoto.

Sabemos que, deste tempo de pandemia, emergiu a urgência de um novo fazer pedagógico e virtual. Assim, os recursos tecnológicos digitais se configuram como instrumentos à disposição do serviço educacional, criando tanto no professor e no aluno uma autonomia, uma responsabilidade maior que antes não era percebida no ensino tradicional. O desafio de construir trilhas para a aprendizagem do aluno com base no fazer pedagógico do docente, aportado em um mundo digital, requer muitas experimentações de como lidar e produzir material, transformando as informações (em vários *hiperlinks*) em conhecimento e em orientação para o aluno.

Concluímos, esperando que nossa proposição de aula temática mediada pelas tecnologias digitais, no estudo das práticas de linguagem, seja nossa contribuição para a reflexão do professor e o desafio de criar seus materiais, de agregar novos conteúdos digitais ao que já vem sendo ofertado pela escola. Portanto, entende-se que seja um momento de os professores aprenderem e se colocarem à disposição dessa nova realidade educacional, exercitando novas formas de visualizar, de ler, de criar, de interagir por meio das diversas ferramentas, algumas citadas em nosso plano de aula.

REFERÊNCIAS

AIDAR, Laura. *História em Quadrinhos*. Disponível em: <https://www.todamateria.com.br/historia-em-quadrinhos/> Acesso em: 08 ago. 2020.

AUROUX, Sylvain. *A revolução tecnológica da gramatização*. Trad. Eni P. Orlandi. Campinas, SP: Editora da Unicamp, 1992.

BAKHTIN, M. M. *Estética da criação verbal*. São Paulo: Martins Fontes, 2010.

BRASIL. *LDB: Lei de Diretrizes e Bases da Educação Nacional*. Brasília: Câmara dos Deputados, 2010.

_______. Ministério da Educação e Cultura. *Base Nacional Comum Curricular*. Brasília, DF, 2017.

_______. Ministério da Educação. Secretaria de Educação Fundamental. *Parâmetros Curriculares Nacionais: introdução aos parâmetros curriculares nacionais*. Brasília, DF: MEC/SEF, 1997.

CAVALCANTE, Mônica Magalhães. *Os sentidos do texto*. 1. ed. 2. Reimpressão. São Paulo: Contexto, 2014.

CLARA, Regina A.; ALTENFELDER, Neide A. (Org.). *Se bem me lembro...*: caderno do professor: orientação para produção de textos. Coleção da Olimpíada. 6ª. ed. São Paulo: Cenpec, 2019.

CONCEITO DE. *Conceito de vídeo*. Disponível em: <https://conceito.de/video>, 2012. Acesso em: 09 ago. 2020.

DOLZ, Joaquim; NOVERRAZ, Michele; SCHNEUWLY, Bernard. *Sequências didáticas para o oral e a escrita:* apresentação de um procedimento. *In:* SCHNEUWLY, B. E.

DOLZ, J. *et allii. Gêneros orais e escritos na escola.* Campinas: Mercado de Letras, 2004.

FAILLA, Zoara. (Org.). *Retratos da Leitura no Brasil.* 4. ed. Rio de Janeiro: Sextante, 2016.

KOCH, Ingedore G. Villaça. *A coesão textual.* 22. ed. São Paulo: Contexto, 2010.

MAURICIO de Sousa Produções – MSP. *Como usar máscaras para se proteger contra o coronavírus.* Disponível em: <https://www.unicef.org/brazil/sites/unicef.org.brazil/files/2020-06/guia-uso-mascara-turma-monica.pdf>. (2020) Acesso em: 08 ago. 2020.

_______. *Orientações sobre o coronavírus.* Terceira versão. Disponível em: <https://www.unicef.org/brazil/sites/unicef.org.brazil/files/2020-04/guia_corona_turma_monica_0.pdf>. (2020) Acesso em: 08 ago. 2020.

_______. *Um recado importante. "Sem abraço, sem beijinho, sem aperto de mão. Não é desprezo é apenas proteção"* (*YouTube*) disponível em: <https://youtu.be/GOyHlCrVAbo>. (2020) Acesso em: 08 ago. 2020.

MONTADON, Alexandre. *Combate ao Covid-19: todos pela saúde de todos.* Disponível em:< https://www.qualidadeemquadrinhos.com.br/paginas/covid-19-em-quadrinhos>. (2020) Acesso em: 30 mai. 2020.

PONZIO, Luciano. *Visões do Texto.* Tradução de Mary Elizabeth Cerutti-Rizzatti e Giorgia Brazzarola. Organização de Neiva de Souza Boeno. São Carlos: Pedro & João Editores, 2017.

_______. *Ícone e Afiguração*. Bakhtin; Malevitch; Chagall. Tradução de Guido Alberto Bonomini, Cecília Maculan Adum e Vanessa Della Peruta. Organização e revisão dos aparatos textuais de Neiva de Souza Boeno. São Carlos: Pedro & João Editores, 2019.

MONTE CASTELO: O GÊNERO CANÇÃO A PARTIR DA MORFOSSINTAXE...

Hilma Ribeiro de Mendonça Ferreira

INTRODUÇÃO

O desenvolvimento da leitura e da escuta em sala de aula ganha ao considerar a canção como forma de aprimoramento crítico dos alunos. O uso da canção, para além de pressuposto para exemplificar os elementos gramaticais, é um instrumento da formação do ouvinte crítico (Costa, 2010) e, já dentro do estudo da metodologia para o ensino da Língua Portuguesa, tendo em vista esse gênero, compreende-se esse ganho como uma forma de desenvolvimento da "escuta", tão distante das práticas de ensino da Língua Portuguesa.

Neste capítulo, pretendo mostrar um caminho metodológico e descritivo para aliar a análise do escopo gramatical a fatores que envolvem de certo modo Língua, Linguística e Literatura, tendo em vista a relação entre a literatura e a leitura literomusical. O estudo da **tipologia textual**, da **formação em leitura literomusical** e a **descrição gramatical** são três fatores equiparados, que se completam em uma metodologia de ensino que visa a compreender de que forma temas como a "predicação verbal" podem ser mais atrativos no contexto da aula de Língua Portuguesa no Ensino Básico.

O ensino a partir dos diferentes gêneros textuais já se tornou uma prática nas abordagens sobre as metodologias de ensino de Língua e de Literatura. Também sabemos que essas abordagens são preconizadas pelos documentos oficiais e que tais documentos surgem de uma abordagem sociointeracionista, tendo os estudos primeiros de Vygotsky (1996), sobre o papel social no desenvolvimento da linguagem e de Bakhtin (1997), sobre as atividades humanas mediadas pelos contextos da enunciação como autores inaugurais dessa abordagem.

Para além da questão primeira da interação pela linguagem, dentro dos currículos do Ensino Básico, a morfossintaxe é fator explorado nos diferentes anos de escolaridades e o entorno gramatical de um dado gênero merece uma abordagem menos sofrível para os estudantes. Decorar e analisar enunciados descolados de um contexto não pode ser nossa única forma de ensinar os componentes oracionais e, dentro do texto da canção, o predicador nominal pode ser explorado de um modo mais racional e pleno de sentidos. Aguçar acusticamente os nossos estudantes, especialmente para interpretação dos sentidos pode, ainda, ser uma preciosa ferramenta para o ensino remoto, dado que, no cotidiano presencial, a logística para transmissão de canções é dificultada. A necessidade de aparelhos eletrônicos não ocorre no ensino remoto, quando a transmissão, por meio de *links* nas plataformas de ensino tem sido um grande ganho para aprofundamento da leitura e análise dos sentidos.

Tendo em vista os pressupostos aqui apresentados, pretendo, neste capítulo, fazer com que a estrutura da canção, genericamente descritiva, possa ser mais bem compreendida por meio da predicação.

PRESSUPOSTOS TEÓRICO-METODOLÓGICOS

A predicação é tema basilar dos programas de Ensino Básico e pode ser contemplada de uma forma mais ampla, tendo em vista os elementos geradores do gênero Canção. Levamos em consideração, para a tarefa principal deste capítulo, que é fomentar a leitura por meio dos diferentes gêneros textuais, o caminho da interação pela linguagem, no sentido bakhtiniano e na intencionalidade, entendemos a importância da consideração do gênero para o ensino e viabilidade do entendimento do "álbum" como leitura reflexiva no contexto social, tanto quanto o que já ocorre com a bibliografia literária, em si.

O escopo da linguística pode relacionar as questões do discurso que subjaz uma canção em si. Essas questões e sua inserção no álbum traduzem sentidos possíveis de leitura do social. Nesse caso, a questão do texto como materialidade precisa ser entendida de modo a interpretar um todo maior da atividade linguística mediada pela canção. A reflexão e a escuta são elementos, dentro desse entendimento mais significativo e, nesse caso, o eixo sonoro e o eixo linguístico contemplam o processo de aquisição dos sentidos necessários para as leituras possíveis de uma canção.

Sabemos que o ensino de Língua Portuguesa tem sido tradicionalmente centralizado em categorizações gramaticais, de modo a focalizar a taxionomia dos componentes morfossintáticos da Língua. Por outro lado, a cobrança da leitura de autores consagrados pela crítica literária nas diferentes fases da literatura reforça valores de um cânone por ele mesmo, de modo que, a análise dos recursos linguísticos e do contexto social de uma dada obra está muito restrita ao reconhecimento da taxionomia gramatical ou das características de um estilo de época, por exemplo. É praticamente inexistente, na prática, uma metodologia de ensino que priorize as habilidades de uso da linguagem, com vistas à comunicação, considerando o texto como objeto de reflexões com o objetivo da aquisição de habilidades discursivas, a priori.

Nessa perspectiva, toda e qualquer proposta de descrição e/ou de metodologia que seja voltada para o desenvolvimento de habilidades discursivas nos estudantes está nesse contexto. O dialogismo bakhtiniano concentra avanços já difundidos nas pesquisas linguísticas, com desdobramentos nas propostas de ensino da Língua Portuguesa difundidas nos diferentes estágios de ensino. Como extensão a esse conceito, o letramento vem ganhando fôlego nas práticas docentes, de modo que um determinado conteúdo tem deixado de ser rígido em si mesmo para se deslocar ao amadurecimento de proficiências, tanto em leitura quanto em escrita. Tomando a linguagem como fenômeno social, não isolado e dependente de vários fatores discursivos, o letramento literomusical pode ser fator para pesquisas que priorizam uma metodologia de ensino da Língua Portuguesa mais científica e não metalinguística.

Os estudos da linguagem demandam uma profundidade e uma riqueza na exploração dos recursos funcionais e semânticos dos componentes linguísticos. Por outro lado, a metodologia tradicional, ao considerar, apenas a classificação e a taxionomia, além de não dar conta dos usos linguísticos, deixa de considerar as proficiências como objetivos metodológicos.

Para além da questão taxionômica e descritiva gramatical, dentro dos estudos sobre tipologias, elencam-se, normalmente, cinco tipos textuais básicos: a narração, a argumentação, a descrição, a exposição e a injunção.

As propostas comunicativas de uma canção, por exemplo, exploram essas intenções tipológicas de narrar, de descrever, de injungir etc. As intencionalidades envolvidas quando o locutor se propõe a contar uma história acarretam o uso dessas estruturas para contar uma história, como é o caso de *Faroeste Caboclo*, com enredo longo de um retirante na sua saga pela busca do sustento, também da banda de *rock* Legião Urbana. Nesse caso, a centralidade do verbo ou do nome está intimamente relacionada às bases narrativa e descritiva. Defendo, por isso, que o uso de estruturas oracionais pode ser mais afeito a uma ou outra intencionalidade, e isso é algo que pode ser observado. Também sobre essas sequências, as argumentativas, por exemplo, possuem operadores discursivos e se tornam elementos da coesão mais visíveis do que os sintagmas adjetivos, em uma sequência descritiva. Nesse viés de análise, a quantidade de predicadores nominais da canção *Monte Castelo* chamou-me a atenção, pretendo relacionar essa peculiaridade com a intencionalidade do enunciador da canção, que possui o mesmo papel do eu-lírico ou eu-poético, no gênero Poema.

A canção *Monte Castelo* surge no álbum *Quatro estações* que veio depois do estouro da banda Legião Urbana com o álbum *Que país é esse?*. Nesse álbum, os músicos abordam temáticas mais "leves" ou "na paz", nas palavras do próprio Renato Russo. O sucesso de músicas que tratam do sentimento e do intimismo são as temáticas que tornaram as músicas *Pais e filhos* e *Quando o sol bater na janela do teu quarto* grandes sucessos, ao lado de *Monte Castelo*. A metodologia de análise da canção sob o viés da pesquisa descritiva dos elementos morfossintáticos e linguísticos e dos apontamentos para uma prática de ensino é minha grande ocupação na seção *Análise*, a seguir.

ANÁLISE

Comecemos a análise pela leitura da letra da música.

Monte Castelo

Ainda que eu falasse a língua dos homens
E falasse a língua dos anjos, sem amor eu nada seria

É só o amor, é só o amor
Que conhece o que é verdade
O amor é bom, não quer o mal
Não sente inveja ou se envaidece

O amor é o fogo que arde sem se ver
É ferida que dói e não se sente
É um contentamento descontente
É dor que desatina sem doer

Ainda que eu falasse a língua dos homens
E falasse a língua dos anjos, sem amor eu nada seria

É um não querer mais que bem querer
É solitário andar por entre a gente
É um não se contentar de contente
É cuidar que se ganha em se perder

É um estar-se preso por vontade
É servir a quem vence, o vencedor
É um ter com quem nos mata a lealdade
Tão contrário a si é o mesmo amor

Estou acordado e todos dormem
Todos dormem, todos dormem
Agora vejo em parte
Mas então veremos face a face

É só o amor, é só o amor
Que conhece o que é verdade

Ainda que eu falasse a língua dos homens
E falasse a língua dos anjos
Sem amor, eu nada seria

(Disponível em https://www.vagalume.com.br/legiao-urbana/monte-castelo.html, acessado em 12/04/2021.)

A canção é composta por uma linha melódica bastante "calma", parte mais relevante do toda a peça musical. A música começa com apenas os instrumentos: baixo, sintetizador e bateria bastante harmoniosos que fazem uma primeira linha, que é introdutória a uma gradação que irá desencadear no surgimento da voz do cantor.

É importante em uma aula de Língua Portuguesa que utiliza o gênero Canção essa explicação por parte do docente acerca da parte melódica, proporcionando que os estudantes relacionem hipóteses de sentidos, após uma primeira escuta da música.

A partir da melodia principal, quando ocorre a descrição do que seja o sentimento do amor, em si, é importante relacionar que o componente melódico e auditivo estará equiparado ao conteúdo verbal da canção. Não apenas usar a música ou o gênero em si como um pretexto para um tema gramatical é importante como forma de condicionar os escopos sensoriais da letra e da música, como dois elementos do todo de sentidos de uma canção. Isso porque, como dimensionado, cada gênero textual possui propósitos diferentes e, logo, caminhos metodológicos para desenvolver proficiências leitoras diferentes, por exemplo, nas aulas de Língua Portuguesa do Ensino Básico.

Após esse primeiro contato com os elementos iniciais, o professor poderá partir para uma análise da base verbal da letra em si, já que, como mediadores, iremos sempre mensurar reflexão. Sobretudo, em se tratando de uma canção com forte elemento filosófico, o pensamento sobre a importância do amor, contextualizando a função social da canção, que poderá ser muitas, como a crítica social ou o aspecto lírico da poesia.

No início da letra, os dois primeiros versos, em notas mais graves da escala, a letra postula uma condição "*Ainda que eu falasse a língua dos homens / E falasse a língua dos anjos, sem amor eu nada seria*". Nesse caso, o intertexto que faz referência ao trecho bíblico da carta aos cristãos da cidade de Coríntios pode ser um caminho para a interpretação da importância dessa condicionalidade para o tipo de amor que será construído na canção. É postulado básico, então, entrar, já no início da canção para as questões enquadradas no nível do discurso, não apenas na base linguística, a fim de conseguir dar conta das informações que são predispostas na superfície do texto. Nesse caso, é importante contextualizar a escrita bíblica epistolar, com a exposição da função dos gêneros textuais encontrados na bíblia, que podem conter um fundo histórico, poético ou a catequese. Quanto à carta do apóstolo Paulo, vale mostrar aos alunos que na época daquela sociedade, a epístola é uma mensagem, que tem como objetivo chamar a atenção dos cristãos da cidade Coríntios, um centro comercial onde eram importantes os valores religiosos, e não apenas os materiais. Nessa perspectiva, esses valores podem ser cotejados com o próprio contexto de produção do álbum *Quatro estações*, que é o Brasil pós ditadura militar. Entendendo a canção em sua função de ativação da visão crítica, é importante, nesse momento da leitura, ressaltar para os alunos a relação entre o contexto da sociedade da escrita epistolar e o do nosso país, antes de entrar em análises equiparadas a esse nível discursivo que é a construção morfossintática dos versos.

O professor poderá fazer recortes de diferentes níveis gramaticais, como o semântico ou o fonético, de forma a relacionar com o elemento morfossintático, o predicativo do sujeito, nosso objeto de estudos. O nível semântico que subjaz à condicionalidade pode despertar nos estudantes hipóteses de interpretação, quanto à morfossintaxe. O uso da locução adverbial "ainda que" acentua as colocações que são indicadoras de ações que poderiam ser praticadas para demonstração do que é entendido como amor. Também pode-se destacar a conjunção aditiva "e" que coordena as duas ações "falar a língua dos anjos" e "falar a língua dos homens" e refletem carga informativa importante, dentro do período subordinado pela adverbial condicional. Nesse caso, em se tratando da esfera morfossintática, o papel da oração adverbial e do sintagma adverbial em si, no texto, são ainda mais reforçados pela sobreposição das duas aditivas, revelando ainda mais um indicativo da importância do que será caracterizado, a partir da bíblia e do soneto de Camões.

Nos versos após o intertexto, pode-se destacar que assim como no uso das coordenadas, quando se acentua o valor da condicional, o uso da repetição do termo "é só" acentua ainda mais a junção das ideias contidas na principal "É só, [é só] que conhece o que é verdade", criando uma valorização fônica e semântica a partir da estrutura morfossintática do verbo transitivo direto (VTD) "Isso conhece aquilo" [sintagma nominal sujeito + VTD + sintagma nominal objeto]. Nós, como conhecedores da arquitetura das orações, podemos frisar que a repetição, dentro dessa estrutura morfossintática, que tem como núcleo o verbo "conhecer", irá reforçar a descrição que começará em seguida: "*O amor é bom, não quer o mal / Não sente inveja ou se envaidece*". A partir desses enunciados, na letra da canção, a descrição do que seja o amor começa a ocorrer, e, concomitantemente, há um crescendo melódico, que pode ser destacado como parte de sua intenção semântica.

O predicador nominal "ser" conjuga na oração "O amor é bom" o tipo de condição para esse sentimento e, o predicativo "bom" é reforçado pelos predicadores verbais "sentir" e "envaidecer", que afirmam as ações desejáveis a esse sentimento, essas questões podem ser instigadas, durante a aula. As ações, nessa perspectiva, estão coadunadas à descrição, e isso será reforçado nos versos em seguida, com a ativação do intertexto com o soneto de Camões.

A partir do lançamento na letra do soneto camoniano, os predicadores nominais são desenvolvidos de modo que os predicativos ganham enorme importância, e esses predicativos sinalizam para aspectos paradoxais do amor. Podemos, nesse momento, refletir com os alunos sobre esses paradoxos, estimulando a reflexão sobre a passionalidade, por exemplo. Assim, ao postular que "O amor é" [ferida que dói e não se sente / É um contentamento descontente / É dor que desatina sem doer], a sequência descritiva dimensiona os contrapontos do amor. Nesse caso, os predicadores nominais são gramaticalmente ocupados por sintagmas adjetivos e, assim, "ferida que dói e não se sente" é, em separado, uma estrutura adjetiva "que dói e não se sente", possuem o mesmo papel de sintagma adjetivo, como no predicado do período simples.

Quanto a isso, a partir da base da pressuposição adverbial, essa estrutura iniciará com uma condição que pontua, numa esfera enunciativa, a tipologia descritiva, quando o predicador "nada", no enunciado "sem amor eu nada seria" mostra essa condição. O predicativo "nada" é termo central dessa oração e, portanto, sequência descritiva que fundamenta todas as colocações sobre o amor. Então, a partir do terceiro verso, muitas utilizações do verbo copulativo "ser" serão elementos que reforçam a descrição do que é considerado como amor, tanto pelo intertexto de Camões, quanto pelo da epístola bíblica.

O que pretendo mostrar é que o estudo do predicado e do predicado nominal é tão importante nessa canção quanto o seu entorno intertextual e discursivo. Quando ensinamos um tópico gramatical, a relação entre os níveis da linguagem, com vistas à reflexão se torna fator basilar para uma metodologia de ensino de Língua Portuguesa.

Quanto à base textual descritiva da letra da canção, as várias descrições mostram como é alguém sem esse amor. Isso delimita os sentidos dos versos finais da canção, cujos diferentes predicadores se iniciam a partir da terceira estrofe. Não é verdade que as tipologias de um texto como esse são únicas e, nesse caso, a esfera descritiva da canção, em maior quantidade, e o estudo do predicativo e do predicador nominal estão associados à descrição. Por outro lado, é possível, pela anteposição da condicional, no início da letra, a associação com a argumentação ou mesmo com a injunção, já que, em último caso, a interpretação do que seja o amor, faz um tipo de "ordenança" para os sujeitos: não é possível viver sem amor, por isso, tenha essas características descritas na canção. Os versos que são iniciados pelo verbo copulativo "é", por isso, podem enfatizar os sentidos intencionais da descrição e gerar as discussões, durante a aula, sobre o que seja o amor e, por outro lado, essas associações estão, também, ligadas à condicional, que dimensiona outras bases tipológicas.

As esferas das tipologias do texto, a associação com o discurso e o intertexto e os elementos gramaticais são fatores que podem ser usados em uma aula com essa canção, que não se propõe, apenas, à morfossintaxe do período simples ou composto. Nesse caso, o ensino gramatical pode ser conjugado às motivações sociais e ao engajamento por um letramento literomusical, que vem se tornando importante, inclusive com a incorporação do álbum às referências bibliográficas de vestibulares. Fica, portanto, minha contribuição, como professora do Ensino Básico para uma reflexão sobre o ensino de Língua que se proponha ao desenvolvimento de habilidades de Letramento com propostas críticas sobre possibilidades de leituras que possam surgir da análise de uma canção.

REFERÊNCIAS

BAKHTIN, M. M. *Estética da criação verbal*. 2ª edição. São Paulo: Livraria Martins Fontes, 1997.

DA COSTA, Nelson Barros. *Canção popular e ensino da língua materna: o gênero canção nos Parâmetros Curriculares de Língua Portuguesa*. Linguagem em (Dis) curso 4.1 (2010): 9-36.

MEC – Ministério da Educação. *Base Nacional Comum Curricular*. Ensino Médio. Brasília: Ministério da Educação, 2018.

MEC – Ministério da Educação. PCN – *Parâmetros Curriculares Nacionais – Ensino Médio*. Brasília: Ministério da Educação, 1999.

RUSSO, Renato. Monte Castelo. *In*: Legião Urbana. *As quatro estações*. Manaus: EMI, 1989.

VYGOTSKY, L. S. *A formação social da mente*. Rio de Janeiro: Martins Fontes, 1996.

A EDUCAÇÃO DA EJA PARA IDOSOS EM TEMPOS DIGITAIS

Leila Figueiredo de Barros

UM NOVO TEMPO PARA A EDUCAÇÃO: CONSTRUTOS QUE PERPASSAM A REALIDADE VIRTUAL

Em nossa pesquisa, nosso *corpus* está constituído por alunos idosos vinculados à Comunidade Faval a 70 km da sede do município de Nossa Senhora do Livramento (MT). Esses alunos são idosos matriculados na Escola Estadual José de Lima Barros (EEJLB), uma escola do campo.

A comunidade é constituída por pequenos produtores cujo sustento advém do cultivo, do trabalho em fazendas ou da atuação no trabalho público, como funcionários da própria escola. A renda na comunidade é baseada na agricultura familiar com a produção de mandioca (aipim, nome mais popular utilizado na região Sudeste, e macaxeira, no Nordeste), banana e hortifrutigranjeiro, ou seja, produtos cultivados simultaneamente em hortas, pomares e granjas. Outra fonte de renda é a própria escola que tem em seu quadro 80% de moradores da comunidade, dos quais boa parte conseguiu, em 1993, a efetivação na rede pública. Atualmente, uma parcela desses funcionários já está aposentada.

Na Educação do Campo, voltada para a Educação de Jovens e Adultos na Escola Estadual José de Lima Barros, em especial, para os idosos, a metodologia é organizada de maneira diferenciada da política pedagógica do Ensino Fundamental, pois adota um trabalho que prioriza a formação participativa dos alunos e sua integração familiar dentro da sociedade. A pretensão é orientar os sujeitos sobre seus direitos e deveres. A escola investigada vê os idosos da EJA como cidadãos protagonistas inseridos em um processo de transformação, que articula estudos teóricos, incentivo a pesquisas e a atividades práticas aos saberes locais e cotidianos desses educandos do campo.

A escola desenvolve um trabalho bastante envolvente com a comunidade, a ponto de as famílias dos alunos sentirem-se à vontade no ambiente escolar. Essa organização pode favorecer um processo de aprendizagem mais eficaz e dialógico, uma vez que a Educação do Campo é feita da diversidade de múltiplos olhares de sujeitos históricos, culturais, sociais, políticos e econômicos. Nesse contexto da educação de alunos idosos na modalidade da Educação de Jovens e Adultos (EJA), uma pedagogia centrada na interação é fundamental para a aprendizagem, pois possibilita a integração de inúmeros saberes e experiências que favorecem o aprendizado.

Em se tratando de Educação do Campo, há uma carência ainda maior da valorização das especificidades relacionadas às pessoas que lá habitam. Roseli Caldart (2001) ressalta que a escola é muito mais que uma escola quando se trata das lutas dos trabalhadores do campo, pois além do local de aprender de forma mútua na interação com professores, alunos e comunidade escolar, ela oportuniza a constituição da identidade desses sujeitos do campo de maneira a valorizar a cultura e suas diversidades locais.

A EEJLB apresenta grande integração com a comunidade, tendo em vista que os alunos tanto da Educação de Jovens e Adultos como aqueles matriculados na modalidade de ensino regular pertencem às diversas comunidades do mesmo município. Observamos, nas entrevistas realizadas com os alunos da EJA, que os trabalhos pedagógicos realizados, tanto na escola sede como nas salas anexas, consideram muito as questões socioculturais dos habitantes da região. Ao se trabalhar a cultura local, preserva-se e dissemina-se a cultura advinda do Vale do Rio Cuiabá (ou Baixada Cuiabana), vinculada às tradições de povos indígenas e afrodescendentes.

A região também apresenta característica própria de fala e de religiosidade como a devoção aos santos, mais especificamente, a São Gonçalo, São Benedito e à Nossa Senhora do Livramento. As questões da diversidade cultural e social na EEJLB são trabalhadas e prestigiadas nos eventos escolares e por meio das festas folclóricas e dos santos.

Tendo em vista toda a diversidade cultural existente na comunidade local e sabendo das dificuldades enfrentadas em tempos de pandemia, apresentamos, neste capítulo, uma proposta de atividade que possa contribuir com educadores na formação da educação de jovens e adultos para idosos em tempos digitais, uma vez que compreendemos a necessidade de continuar os trabalhos desenvolvidos mesmo na fase pandêmica.

Temos consciência de que as novas tecnologias na escola são tema de discussão de parte dos educadores. Alguns insistem na manutenção das formas tradicionais de ensino, já outros estão mais propensos à inserção no contexto digital. Em tempos de pandemia disseminada por todo o mundo, a escola percebeu e aderiu à inclusão digital. Sendo assim, a educação escolar pode possibilitar ao educando o entendimento e o acesso a estas novas áreas a fim de propiciar aos alunos da EJA condições para o desenvolvimento do comportamento criativo, com criticidade, de forma a se tornarem construtores e atualizados com o tempo em que vivem (GOMES, 2002, p. 1).

Para Rodrigues (2007, p. 3), as tecnologias na escola favorecem o uso da multimodalidade, isto é, de sons, imagens e conceitos, no processo de interação, fazendo com que a aprendizagem aconteça de forma divertida, dinâmica e criativa. Com isso, essas ferramentas de ensino podem ampliar o interesse dos educandos para o conteúdo ministrado e agregar melhorias em seu desempenho.

Diante disto, é importante que o educador esteja atualizado com o tempo em que vive e com esta nova era digital. Conforme Paulo Freire, "o educador há que viver como um ser molhado de seu tempo" (1982, p. 46). Necessitamos fazer com que o computador se torne um instrumento de apoio e aliado às matérias e aos conteúdos ensinados, mas o mais importante é preparar o sujeito para esta nova etapa social.

Conhecemos o árduo trabalho do professor e compartilhamos suas dificuldades. Propomos, por isso, algumas atividades para auxiliá-lo, mas ressaltamos que não temos receitas prontas, são apenas sugestões desenvolvidas que deram certo em um determinado contexto social e poderão ser melhoradas em outros contextos vindouros.

A CONSTITUIÇÃO DE ATIVIDADES PARA O TRABALHO *ON-LINE* COM ALUNOS: ALGUNS RECORTES

A Base Nacional Comum Curricular (BNCC) organiza o currículo pela articulação das práticas de linguagem situadas (tratadas como eixos: leitura de textos, produção de textos, oralidade e análise linguística/semiótica) e por campos de atuação, em que as práticas se realizam. Quanto às tecnologias, a BNCC contempla o fortalecimento de competências e habilidades relativas ao uso crítico das ferramentas digitais existentes em todas as áreas do conhecimento com objetos de aprendizagem variados.

O professor não necessariamente será o único que detém o saber tecnológico, mas auxiliará de forma a mediar os alunos na reflexão das diversas práticas sociais e sobre os usos possíveis das tecnologias (BNCC, 2018).

O uso de atividades lúcidas e interativas no processo de ensino e aprendizagem constitui-se em um estímulo para ampliar o conhecimento do aluno e faz com que ele aprenda a conviver e a valorizar o grupo social no qual está inserido. Mediante atividades diferenciadas, o aluno jovem ou idoso pode construir e aprimorar o conhecimento, tornando-se agente transformador na sociedade em que vive. Desse modo, sugerimos, a seguir, algumas atividades que possam mediar o fomento desse conhecimento remoto:

Sugestões iniciais

- Escolher a plataforma de sua preferência para a realização dos encontros (Ex.: *Google Meet, Zoom,* entre outros).
- Apresentar as datas e horários fixos para as reuniões e manter a pontualidade com os participantes de forma a incentivar a presença de todos.
- Mostrar as atividades de maneira organizada, explicando o momento que cada um deve falar, bem como desafiando e incentivando todos a falar ou a comentar alguma situação.

Organização do tempo - O tempo previsto para a organização dessas atividades é de 40 minutos a 1hora ou dependendo da discussão poderá ser trabalhado em 3 aulas de 40 minutos a 1hora.

Quadro das atividades a serem desenvolvidas

Atividades sugeridas		
Objetivo: Possibilitar reflexões que viabilizem o aprendizado de forma remota e despertem maior interesse dos alunos pelo estudo da Língua Portuguesa, valorizando os espaços culturais e sociais.		
1º Passo	Explicar a importância da cultura e do convívio social e comentar sobre as variações de linguagem existente no país.	https://www.youtube.com/watch?v=qSzQs7S_VAQ&t=13s P.S.: Podem-se utilizar outros vídeos de sua preferência
2º Passo	Entrar em museus virtuais como o da Língua Portuguesa e Museu do Louvre.	https://www.museudalinguaportuguesa.org.br/dia-da-lingua-portuguesa-com-programacao-virtual/ https://www.youtube.com/watch?v=ppZPoIci5Tc&list=PLXLB812R3GOlBktyIDbKJoMEJLPb1PdOE&index=15&t=0s
3º Passo	Pedir para que os alunos comentem o que mais gostaram de ver nos museus.	Comentário oral e partilhado com todo o grupo.

<table>
<tr><td>4º Passo</td><td colspan="2">Produção escrita dos alunos. Após todos os comentários e discussões, o professor poderá pedir aos educandos a produção de um texto argumentativo, expondo suas percepções dos museus visitados virtualmente.</td></tr>
<tr><td>5º Passo</td><td colspan="2">Pedir para que os alunos troquem os textos argumentativos escrito por eles com seus colegas. (Via e-mail). O professor pode fazer a escolha da troca ou deixar o aluno escolher para quem ele deseja enviar. É importante o professor monitorar para que todos recebam o texto de um colega. Cada aluno receberá apenas um texto e depois de ter realizada a troca, esse aluno deverá transformar o texto que recebeu em outra tipologia. Ele poderá acrescentar conteúdo ao texto, mas não pode mudar os argumentos do colega, só poderá aprimorar e transformar o texto argumentativo em texto narrativo. É um trabalho de reescrita aprimorado pelo olhar do outro.</td></tr>
<tr><td>6º Passo</td><td>Os textos transformados pelos colegas deverão ser enviados ao professor por e-mail, e on-line os alunos poderão socializar.</td><td>Cada aluno poderá apresentar as transformações e mudanças que fizeram no texto do colega.</td></tr>
<tr><td>7º Passo</td><td>Trabalhar com jogos interativos. Pode-se manter o tema ou desenvolver outros temas atrelados à discussão já realizada.</td><td>https://rachacuca.com.br/
http://www.escolagames.com.br/
https://poki.com.br/educativos
https://www.ludoeducativo.com.br/pt/
https://www.atividadeseducativas.com.br/</td></tr>
</table>

Vale ressaltar que as atividades acima são apenas sugestões, pois compreendemos que a Educação de Jovens e Adultos não se atém, apenas, ao percurso de escolarização, mas à trajetória pessoal dos sujeitos, à vida cruzada com a aprendizagem escolar, pois todo ser humano vivencia experiências nos espaços da vida, com consciência da construção social que realiza e da perspectiva cidadã a que tem direito. A escola, nesse sentido, é também um espaço de construção e de constituição social e singular para a formação humana e cidadã. Diante disso, a Educação de Jovens e Adultos carece de um planejamento pedagógico diferente das demais modalidades de ensino, uma vez que o currículo deve contemplar metodologias de ensino alinhadas à realidade de vida e de experiência dos alunos, em particular, dos alunos idosos com mais de 60 anos.

O educador Paulo Freire (2019[1968]) mostrou consciência dessa realidade, da necessidade de a Educação ser oferecida a todos, principalmente aos que não lograram a oportunidade de estudar na infância, como o caso dos idosos. Ele argumenta, ainda, sobre a importância de uma alfabetização que integre a realidade do sujeito. O aluno deve ser autor de sua aprendizagem, uma vez que aprende com o professor (aprendizagem sistematizada e normativa) e vice-versa, em que o professor aprende com o aluno (aprendizagem da vida, troca de experiências e saberes populares). Quando o assunto está ligado à Educação de Jovens e Adultos, essa relação professor e aluno é perceptível em sala de aula por meio dos diálogos, por palavras, textos orais ou escritos e/ou por comportamentos, linguagem corporal, atos que constituem uma rede dialógica de relacionamento e muitas aprendizagens.

Para Arroyo (2001), os olhares sobre a condição social, política e cultural dos alunos da EJA têm ensinado as diversas concepções da Educação que lhes é oferecida, os lugares sociais a eles reservados, tais como marginais, oprimidos, excluídos; também têm determinado o lugar reservado à sua Educação no conjunto das políticas públicas oficiais.

CONSIDERAÇÕES FINAIS

A Unesco, na Conferência de Hamburgo (1997), expõe a importância de investir mais na Educação de Jovens e Adultos e reforça a necessidade de reconhecer o papel indispensável do educador e formador de opiniões, bem como de garantir a diversidade de experiências; de reafirmar a responsabilidade do Estado diante da Educação; de fortalecer a sociedade de forma que contemple a cidadania e integre a Educação de Jovens e Adultos como uma modalidade permanente de aprendizagem da Educação Básica.

Pensando no período de pandemia, a tecnologia reforçou sua marca e presença necessária nos tempos atuais. Não podemos negar sua importância para a sociedade de modo geral e sua grande contribuição para a aquisição de conhecimento. Não podemos negar que a comunicação digital nos aproximou do que estava, muitas vezes, distante do nosso olhar.

Diante do exposto, compreendemos que a tecnologia é de suma relevância neste século, mas não podemos esquecer que na EJA, em todo o estado de Mato Grosso e qualquer estado brasileiro, espera-se que os alunos possam também ampliar o domínio discursivo e ativar as diversas situações de comunicação de uso de linguagem oral, ou seja, aprender os conteúdos da escola, valorizando a participação social para constituir-se cada vez mais cidadãos críticos.

O idoso representa uma parte da população marcada por muitas exclusões. Nas salas de aula da EJA em Mato Grosso, a situação não difere do restante do Brasil, muitos idosos, também, sofrem algum tipo de preconceito por causa da idade.

Nesse sentido, o uso de toda a tecnologia disponível a favor do aluno da EJA amplia suas possibilidades de inserção e favorece o desenvolvimento de valores e conhecimentos que melhorem não apenas seus estudos em sala de aula remota ou presencial, mas também suas práticas sociais na vida e no trabalho. O significativo é nunca abandonar os desafios apresentados.

REFERÊNCIAS

ANTUNES, Celso. *Jogos para estimulação das múltiplas inteligências*. Petrópolis: Vozes, 1998.

ARROYO, M. *A Educação de Jovens e Adultos em Tempo de Exclusão*. Revista de Educação de Jovens e Adultos. Brasília: Martins Fontes, 2001.

_______. *A Educação de Jovens e Adultos em tempos de exclusão*. Brasília: Unesco, MEC, 2005.

BATLORI, Jorge. *Jogos para treinar o cérebro*. São Paulo: Madras, 2004.

BORDENAVE, J.D. *Estratégias de Ensino – Aprendizagem*. Petrópolis: Vozes, 1996.

BRASIL. Ministério da Educação. *Base Nacional Comum Curricular.* Brasília: MEC, 2018. Disponível em: <http://basenacionalcomum.mec.gov.br.> Acesso em 20 abril 2019.

BROUGÉRE, G. *Jogo e educação.* Porto Alegre: Artes Médicas, 1998.

CALDART, R. S. *Educação do Campo: campo – políticas públicas – educação* / Bernardo Mançano Fernandes ... [*et al.*]; organizadora, Clarice Aparecida dos Santos. Brasília: Incra; MDA, 67-95. 2008.

_______. *Por uma Educação do Campo: traços de uma identidade em construção.* In: *Educação do Campo: identidade e políticas públicas.* Kolling, E.J. *et al.* (orgs). Coleção Por uma Educação do Campo, nº 4. Brasília: Art. Nacional Por Uma Educação do Campo. 2002.

FREIRE, P. *A Importância do Ato de Ler: em três artigos que se completam.* São Paulo: Cortez, 1992.

_______. *Ação Cultural para a Liberdade: e outros escritos.* 6 ed. Rio de Janeiro: Paz e Terra, 1982.

_______. *Pedagogia dos Oprimidos.* Rio de Janeiro: Ed. Paz e Terra, 2019 [1968].

GOMES, E. *Exclusão digital: um problema tecnológico ou social?* Rio de Janeiro: Trabalho e Sociedade, 2002. Ano 2 – nº especial.

MATO GROSSO. Secretaria de Estado de Educação. SEDUC, Cuiabá In. *Projeto Político Pedagógico (PPP),* Escola Estadual José de Lima Barros. Livramento, 2018.

ONU. Organização das Nações Unidas. Disponível em: <https://nacoesunidas.org/?post_type=post&s=idoso+e+envelhecimento>. Acesso em: 20 jun. 2019.

RODRIGUES, D. Desenvolver a educação inclusiva: dimensões do desenvolvimento profissional. (Org.). *Investigação em educação inclusiva.* Cruz Quebrada: Faculdade de Motricidade Humana, 2007.

O ENSINO DA LÍNGUA PORTUGUESA E AS NOVAS TECNOLOGIAS: ENSINANDO CLASSE DE PALAVRAS

Manoel Felipe Santiago Filho

CONSIDERAÇÕES INICIAIS

Entendemos mídias sociais como ferramentas tecnológicas que nos permitem relacionar conteúdos e compartilhá-los entre indivíduos de uma sociedade humana pós-moderna, por exemplo, os *blogs*, os microblogs, o *twitter*, fóruns e wikis. Há, também, o universo das redes sociais, que abrange *WhatsApp, Facebook, Instagram, YouTube, Linkedin.* Estas, além de tratar conteúdos, em escala menor, permitem a troca de mensagens, comentários e formação de grupos de convivência (ou não) mútua. Tais mídias sempre foram utilizadas por pessoas e grupos sociais nas mais diversas atividades e variados objetivos. Por que, durante a pandemia e o momento de distanciamento social, sem aulas presenciais, não aprimorar e generalizar o uso das novas tecnologias com fins educativos plurais e de qualidade alcançando toda a sociedade acadêmica? Por que não tornar essas novas tecnologias parceiras de docentes e discentes no ensino /aprendizagem de Língua Portuguesa, mesmo que a distância?

BREVE FUNDAMENTAÇÃO TEÓRICA

Marcuschi (2012, p.30) afirma que "texto é o resultado atual das operações que controlam e regulam as unidades morfológicas, as sentenças e os sentidos durante o emprego do sistema linguístico numa ocorrência comunicativa", tanto *on-line* ou presencial, quanto *off-line* ou a distância. Assim sendo, o texto produzido, segundo Marcuschi, "forma uma rede em várias dimensões e se dá como um complexo processo de mapeamento cognitivo de fatores a serem considerados na sua produção e recepção". O texto de alunos e de professores, portanto, recebe o *status* de texto quando no ato interacional entre professor-aluno e demais leitores sociais, passando a construir possibilidades de compartilhamento de conhecimentos linguageiros e conhecimentos gramaticais, passando a construir sentidos e significados apropriados ao exercício do ensino-aprendizado, a partir de padrões de textualidade coesão e coerência, baseados no texto, e, intencionalidade, aceitabilidade, informatividade, situacionalidade, intertextualidade, baseado nos interactantes. (BEAUGRANDE & DRESSLER, 1987).

A produção textual, por sua vez, demanda, por parte do docente, um mínimo conhecimento de estratégias simples que podem servir para estimular o cognitivo dos alunos. Koch (2003, pp.35-51) demonstra que:

> [...] o homem representa mentalmente o mundo que o cerca de uma maneira específica e que, nessas estruturas da mente, se desenrolam determinados processos de tratamento, que possibilitam atividades cognitivas bastante complexas. Isto porque o conhecimento não consiste apenas em uma coleção estática de conteúdos de experiência, mas também em habilidades para operar sobre tais conteúdos e utilizá-los na interação social. (KOCH, 2003, p.37).

O professor, muito além de um planejamento de aula conteudista, deve antecipar questionamentos e sentidos epistemológicos que provoquem a interação participativa de sua classe. Para tal, precisa saber acionar estruturas de memória de seus alunos: 1) a memória de percepção, aquela em que estímulos visuais, auditivos e sensoriais despertam a atenção do interactante para o que se apresenta a ele como prática de ensino; 2) a memória de curto termo, analogamente, uma sala de visita que recepciona as informações retendo-as brevemente, ou seja, avaliando-as um pouco mais, e; 3) a memória de longo termo, a que, realmente, guarda as informações relevantes para o armazém de saberes desse aluno (KOCH 2003, pp. 38-40).

Estas memórias de longo termo ocupam espaços mentais que formam discursos individuais e até coletivos. A teoria dos espaços mentais afirma que estes espaços se criam na medida em que o discurso se desenvolve, e, assim como o texto, são resultantes de operações sociocognitivas nas quais acontecem complexas estratégias comunicativas, promovendo a interação sociocultural no uso de um sistema linguístico (MARCUSCHI, 2012, p. 30); o discurso, de forma semelhante, vai além da linguagem e do código, cria processos de significação entre os interactantes do texto no discurso, por meio de "um complexo processo de constituição desses sujeitos e produção de sentidos e não meramente transmissão de informação." (ORLANDI, 2015, pp.19-22). Logo, "a linguagem visível é a ponta do *iceberg* da construção invisível do significado que tem lugar enquanto falamos e pensamos" (FAUCONNIER, 1997, p.1), e, de igual modo, enquanto nossos alunos falam, pensam, escrevem e estudam; a linguagem desses alunos procede de espaços mentais altamente sensíveis às linguagens e códigos a que eles são expostos, por meio dos quais (re)produzem discursos personalizados.

> A teoria dos espaços mentais (Fauconnier 1994, 1997) propõe que espaços mentais são criados à medida que o discurso se desenvolve. Tais espaços são domínios conceptuais que contêm representações parciais de entidades e relações em um cenário percebido, imaginado ou lembrado. Assim, o espaço que ancora o discurso na situação comunicativa imediata (falante, ouvinte(s), lugar e momento da enunciação) é a BASE. A partir da BASE, outros espaços são normalmente criados para alocar informações que extrapolam o contexto imediato: falamos de passado e do futuro, de lugares distantes, de hipóteses, de arte e literatura e de cenários que só existem em nossa imaginação. (FERRARI, 2018, pp. 109 -113)

O objetivo do labor no ensino de Língua Portuguesa aos alunos do Ensino Básico deve ser o desenvolvimento de estruturas sociocognitivas permanentes, duradouras e relevantes, assim como, o armazenamento de saberes que contribuam para interações comunicativas nos espaços socioculturais que os envolvem nos mais variados grupos sociais. Daí, as noções de *frames* e de modelos cognitivos idealizados.

Os *frames* representam "um sistema estruturado de conhecimento, armazenado na memória de longo prazo e organizado a partir da esquematização da experiência" (FERRARI, 2018, pp.50-53); enquanto os modelos cognitivos idealizados, representam estruturas de conhecimento, também armazenadas na memória de longo termo, no entanto, muito mais complexas e organizadas do que os *frames*. Ambos estão estritamente relacionados com o domínio social do uso da palavra no discurso.

> A interpretação de uma determinada palavra, ou de um conjunto de palavras, requer o acesso a estru-

> turas de conhecimento que relacionam elementos e entidades associados a cenas da experiência humana, considerando-as as bases físicas e culturais dessa experiência. (FERRARI, 2018, p.50).

Tais acessos demandam pesquisas simultâneas, *on-line* ou *off-line*, dos interactantes da linguagem discursiva em modelos cognitivos idealizados e compartilhados culturalmente, buscando em: 1) estruturas propositivas, como "ô meu, é coringão no campo!", que somente, os interactantes atualizados com o falar paulista depreendem tratar-se de uma partida de futebol do time paulista Corinthians, comentada por um estereotipado torcedor corintiano marcadas no discurso pelos lexemas "ô meu" e "coringão"; 2) estruturas imagéticas, como "O urubu deixou o peixe de quatro.", que implica numa profunda pesquisa cognitiva para relacionar as imagens de uma ave e de um animal aquático a dois times de futebol, um carioca, o Flamengo, e um paulista, o Santos; e num nível mais profundo, acionar a imagem de uma derrota do time paulista por uma ampla diferença de placar, o equivalente a "deixou o peixe de quatro"; e, 3) estruturas metafóricas e metonímicas, nas quais os interactantes da linguagem podem diferenciar (a) "A gatinha deixou o cara de quatro" de (b) "O urubu deixou o peixe de quatro", em que a expressão "deixou de quatro" possui significados completamente diferentes; em (a) "deixou o cara de quatro" implica na atitude de extrema paixão, enquanto que, em (b) "deixou o peixe de quatro" implica uma derrota por muitos gols. Nossos alunos também precisam aprimorar o uso destes conhecimentos.

Os espaços mentais desses alunos constituem um manancial de criatividade em evolução sociocultural e sociocognitiva que precisam ser alcançados, despertados e bem alimentados constantemente. Cada iniciativa pedagógica, cada plano de aula que venha tocar nas memórias deles suscitará ricas experiências, tanto para discentes como para docentes. Assim, em tempo de distanciamento social, nós professores devemos, não só dar aulas *on-line* ou a distância, se preferir; mas, temos que instigar estes alunos ao conhecimento, forjar âncoras de conteúdos às mídias e redes sociais de maneira leve, porém diretas e objetivas, para que tais alunos possam armazenar em suas memórias de longo termo as informações curtas, mas também relevantes para futuras interações sociais.

DA TEORIA PARA A PRÁTICA DE ENSINO

Em um primeiro momento, adequamos as teorias da linguística do texto e da linguística cognitiva ao público-alvo da instituição de ensino onde lecionamos. Nós, professores, não devemos ensinar teorias avançadas para alunos do Ensino Básico público ou privado; torna-se desnecessário entulhá-los com tais teorias. É essencial apropriarmo-nos delas para aprimorarmos nossa prática docente, modulando os saberes e construindo pontes para que nossos alunos sejam, de fato, alcançados.

No meu caso, em particular, minhas turmas apresentam perfis heterogêneos; todavia, a maioria demonstra interesse em aprender, mesmo que seja o mínimo possível. Nossa escola é pública, e embora pequena e de poucos recursos gerais, tem um elenco de professores que se empenham em ensinar com qualidade. Eu já lecionei "Incentivo à Leitura e Produção de Texto – I.L.P.T.", hoje leciono "Língua Portuguesa" para três turmas do 7º ano cujos alunos possuem entre 11 e 14 anos de idade, procuro sempre adotar uma perspectiva sociointeracionista fomentando o aprendizado da gramática por meio de textos escritos e visuais, não no estilo "uso-do-texto-como-pretexto", mas sim, por meio da leitura, compreensão e produção de textos de tipos e gêneros diversos.

No ensino presencial da gramática e de seus elementos morfossintáticos, lexicais e semânticos, quando conteudistas pelos inúmeros motivos que só regentes de turma conseguem entender, logo, se percebe uma rejeição por parte dos alunos nas turmas; embora, sintamos na pele essa rejeição, presencialmente, fica fácil contorná-la reposicionando a didática. No ensino a distância ou remoto, precisamos impactar e manter a qualidade da aula do princípio ao fim dessa aula, interagindo quase que simultaneamente com os alunos. Isto tudo demanda maior preparação prévia e razoável domínio das novas tecnologias. Nesse contexto de distanciamento social, no entanto, o que nós professores de Língua Portuguesa podemos fazer para despertar minimamente a atenção dos alunos, principalmente, levando-se em conta as novas e abrangentes tecnologias de ensino?

Meu objetivo não é mostrar que "descobri a pólvora", tampouco, demonstrar os usos possíveis dela, não é ensinar professores especialistas, mestres ou doutores a ensinar, nosso objetivo é tão somente exemplificar usos das novas tecnologias no ensino de um tema recorrente em nossas aulas de Língua Portuguesa. Pensando assim, em primeiro lugar, adotei o tema de aula, indo do geral para o específico: Classe de Palavras – artigos, numerais e pronomes. Segundo, elaborei um plano de aula viável, no meu caso, sob a perspectiva da linguística do texto e da linguística cognitiva, ou seja, o ensino de nomes/substantivos a partir de sintagmas nominais e seus determinantes (Perini, 2010). E, por fim, verifiquei e adotei as tecnologias mais adequadas à apresentação de uma aula excitante que cative o engajamento imediato dos alunos.

Relembrando as teorias de Koch (2003, 2012) e de Koch & Elias (2006), ao escolher o tema, levo em consideração a concepção interacionista da língua; procuro apresentá-lo, ativando os conhecimentos prévios dos alunos (KOCH, 2012, p.34), a fim de ancorar a aula em um contexto sociocultural que, de imediato, cause forte impacto nesses alunos, "fisgando" a memória de percepção por meio de estímulos visuais, auditivos e sensoriais. Para tal, começo a aula com um *trailer* do filme *A Era do Gelo – O Big Bang*, fazendo uso da tecnologia do *YouTube* –https://www.youtube.com/watch?v=Pz-ideIFL68. Na primeira visualização, todos se divertem; na segunda, explico que eles devem escrever os nomes das personagens. A maioria das crianças gosta de um bom filme no formato desenho colorido em 3D.

Em seguida, envio para os alunos o "texto de apoio", que detalha o tema da aula; os alunos deverão ler e sumarizar, e depois copiá-lo integralmente no caderno; com isso, objetivo que eles gravem inconscientemente na memória de curto termo (KOCH, 2003) a presença dos artigos, dos numerais e dos pronomes contidos no contexto do "texto de apoio". Esta prática aciona (1) as estratégias de ativação de conhecimentos gramaticais já aprendidos, (2) a seleção, organização e desenvolvimento das ideias, (3) o "balanceamento" de informações explícitas e implícitas aos textos escritos e visuais, e (4) a revisão da escrita ao longo de todo o processo de escrita (KOCH, 2012, pp. 34-36).

No material de apoio, também insiro uma tabela contendo as classes gramaticais identificando-as por cores distintas, a saber: os artigos em roxo (definidos e indefinidos), os numerais em vermelho (cardinais e ordinais) e os pronomes em azul (possessivos e demonstrativos). (Cunha & Cintra, 2001).

TABELA DE CLASSE DE PALAVRAS /DETERMINANTES

ARTIGOS		NUMERAIS		PRONOMES	
Definidos	Indefinidos	Cardinais	Ordinais	Possessivos	Demonstrativos
a, as	uma, umas	um, uma	primeiro, primeira	meu, minha, meus, minhas	esta, estas
o, as	um, uns	dois, duas	segundo segunda	teu, tua teus, tuas	este, estes
		três	terceiro, terceira	dele, dela deles, delas	essa, essas
		quatro	quarto, quarta	nosso, nossa nossos, nossas	esse, esses
		cinco	quinto, quinta	vosso, vossa vossos, vossas	aquela, aquelas
				seu, sua seus, suas	aquele, aqueles

Esta tabela é precedida por um parágrafo de contextualização da aula anterior com a aula atual, onde as expressões "determinantes" são destacadas por uma cor bem chamativa e por uma breve explicação sobre a relação desses determinantes com as classes gramaticais da tabela (Perini, 2010).

No "texto de apoio", ainda, destaco as palavras-chave, expressões e orações explicativas relevantes com cores vibrantes que instiguem a memória de percepção desses alunos. E, para divulgá-lo, me utilizo de três plataformas: o *WhatsApp*, o *Facebook* e a plataforma Escolamais.com/ Canvas; em cada uma delas aperfeiçoo a exposição do texto, ora no formato .docx, ora no formato PDF, usando as ferramentas digitais que essas mídias nos disponibilizam para "tratar" ou melhorar conteúdos inseridos.

Nesses dois processos iniciais, mesmo a distância, estamos acionando o conhecimento linguístico, o conhecimento enciclopédico e o conhecimento interacional desses alunos. O **conhecimento linguístico** porque o *trailer* do filme no *YouTube*, embora dublado, apresenta abaixo da tela uma breve sinopse das cenas do filme. O **conhecimento enciclopédico** porque os textos escritos e visuais reativam memórias de longo termo dos alunos (KOCH, 2003) acionando *frames* em modelos cognitivos idealizados interligando-os a espaços mentais que contêm as informações relevantes para a recepção dos textos (FERRARI, 2018; FAUCONNIER, 2003; JOHNSON & LAIRD, 2010). E o **conhecimento interacional** que permite a esses alunos interagirem com os discursos midiáticos e com os discursos textuais ativando sentidos únicos, dialógicos e interpessoais, os quais promovem a interação social deles com os seus contextos socioculturais e demais interactantes das mídias e redes sociais onde acontecem as aulas.

Num terceiro passo, apresento a "atividade" ou exercício de fixação pelos mesmos canais – o *WhatsApp*, o *Facebook* e a plataforma Escolamais.com. Nessa atividade, meus alunos encontram um texto do tipo dissertativo-descritivo que detalha as quatro personagens principais do filme *A Era do Gelo*: Manny, Scrat, Sid e Diego. Esse texto também foi retirado da mídia e adaptado para a prática de ensino acima proposta (https://www.terra.com.br/cinema/eradogelo/personagens.html). Nesse texto, os determinantes descritos e explicados no "texto de apoio", destacados em vermelho, precedem aos nomes/substantivos sublinhados. Esses determinantes foram substituídos pela classe de palavra a que se referem – artigos, numerais, pronomes, estando diretamente relacionados ao contexto discursivo contido nos textos descritivos. Os alunos novamente reativarão seus conhecimentos e memórias para responderem as questões propostas, dessa forma, (re)acionam espaços mentais, *frames* e modelos cognitivos recém-idealizados a fim de adequarem os determinantes ao contexto discursivo dentro das funcionalidades semântico-discursivas contidas na proposta de atividade.

Por fim, envio um gabarito comentado da atividade proposta, porque mesmo me colocando *on-line* durante o período de aulas, a maioria não dialoga nem interage com comentários ou com dúvidas, mesmo que eu os estimule para tal. Logo, o gabarito dá a esses alunos a real dimensão de suas deficiências; eles as corrigem e enviam fotografias pelo *WhatsApp* confirmando as correções realizadas.

CONSIDERAÇÕES FINAIS

Neste capítulo, procurei exemplificar o uso das novas tecnologias na área da Educação com a síntese da apresentação de um conteúdo da gramática da Língua Portuguesa – classes gramaticais: artigos definidos e indefinidos; numerais cardinais e ordinais; e, pronomes possessivos e demonstrativos, pautado em princípios teóricos da Linguística do Texto e da Linguística Cognitiva. Verificou-se na prática de ensino nesta modalidade a distância, um enxugamento dos conteúdos, uma maior objetividade na exposição da aula, e principalmente, uma maior concentração dos professores e dos alunos na frente de telas luminosas e fones de ouvido que nos permitiram a mútua interação social por meio dos textos lidos, escritos, audíveis e visuais, simultaneamente. Tudo isso nos provoca um desgaste muito maior, posto que, não há intervalos momentâneos para (re)contextualizações em aula e nem retroalimentação emocional.

Para utilizarmos satisfatoriamente essas novas tecnologias no contínuo ensino-aprendizado, compartilhando saberes em espaços midiáticos, demanda capacitação tecnológica, requalificação dos docentes e intensa atualização teórico-pedagógica desses professores; contudo, não cabe só a nós professores movermos a roda do conhecimento, torna-se necessário que alunos e pais de alunos adquiram maior responsabilidade em corresponder e interagir com as aulas a distância ou remotas, tal qual nas presenciais.

Nas aulas *on-line* ou *off-line*, remotas ou a distância por meio das novas tecnologias, o primeiro contato do professor com o aluno tem que ser impactante e decisivo para prender a atenção dele. O segundo impacto se dará na exposição objetiva do conteúdo da aula: breve, diretivo, interativo e chamativo. O terceiro impacto advém da máxima exploração e uso das ferramentas digitais disponibilizadas pelas plataformas otimizando a transmissão dos nossos conteúdos pedagógicos, tornando-os mais vivos, ricos e permanentes nas memórias de longo termo dos discentes. Por isso, não nos cabe somente estudar e armazenar as teorias complexas, mas sim, também utilizá-las para construir andaimes e pontes de novos saberes para a edificação de nossos alunos.

Concluindo, fica bem claro, que as novas tecnologias vieram e ocuparam espaços no cotidiano da humanidade, muito embora, uma grande parte da sociedade não tenha pleno acesso a elas com a devida qualidade, as mídias e redes sociais vieram para ficar, inclusive na área da Educação. A pandemia só serviu de *start* ao expor a baixa qualidade dos insumos e recursos digitais distribuídos para as grandes massas sociais no contexto sociocultural brasileiro em detrimento dos altos custos para mantê-las funcionando. As escolas públicas das periferias e dos vários *brasis* interioranos não desfrutam de infraestrutura compatível com a qualidade de ensino a distância hoje imposta à educação pública nacional. O ensino de Língua Portuguesa, a democratização das novas tecnologias, o ensino a distância por meio dessas ferramentas possui, caso sejam otimizadas e bem empregadas, as reais condições de alavancar a educação pública e de qualidade em todos os rincões do Brasil.

REFERÊNCIAS

BEAUGRANDE Robert-Alain de & DRESSLER, Wolfang. *Introduction to Text Linguistics*. London and New York: Longman, 1987.

CUNHA Celso & CINTRA, Luís F. *Nova Gramática do Português Contemporâneo.* 3ª edição. Rio de Janeiro: Nova Fronteira, 2001.

FAUCONNIER. *Mental Spaces.* Cambrigde: Cambrigde University Press, 1994.

FERRARI, Lilian. *Introdução à Linguística Cognitiva.* São Paulo: Contexto, 2018.

JOHNSON & LAIRD, Philip N. *Mental Models and Human Reasoning.* September 2, 2010. Department of Psychology, Princeton University. In: <www.pnas.org/cgi/doi/10.1073/pnas.1012933107>.

KOCH, Ingedore Grunfeld Villaça. *Desvendando os Segredos do Texto.* 2ª edição. São Paulo: Cortez, 2003.

_______. *Ler e Escrever: Estratégias de produção textual.* 2ª edição. São Paulo: Contexto, 2012.

KOCH, Ingedore Villaça & ELIAS, Vanda Maria. *Ler e Compreender: Os sentidos do texto.* 2ª edição. São Paulo: Contexto, 2006.

MARCUSCHI, Luiz Antônio. *Linguística do Texto: o que é e como se faz?* São Paulo: Parábola Editorial, 2012.

ORLANDI, Eni P. *Análise de Discurso: Princípios e procedimentos.* 8ª edição. Campinas: Pontes, 2015.

PERINI, Mário A. *Gramática do Português Brasileiro.* São Paulo: Parábola Editorial, 2010.

PRÁTICAS SOCIAIS DE LEITURA E ESCRITA E AS TECNOLOGIAS DIGITAIS: O QUE PODE A ESCOLA?

Maria Teresa Tedesco Vilardo Abreu

INTRODUÇÃO

Num país com as dimensões continentais do Brasil, com a diversidade cultural que nos identifica não só em pluralidades, mas também em desigualdades sociais, a função da escola se amplifica porque, muito provavelmente, é a forma mais imediata de uma mudança social para o cidadão brasileiro e de acesso efetivo às diferentes culturas. A equidade na Educação é necessária, requerendo, sobretudo, respeito a cada sistema escolar, a cada rede de ensino e ao que cada comunidade escolar deseja como currículo.

Trata-se de um parâmetro necessário para reverter a situação de exclusão histórica de muitos brasileiros que não puderam desenvolver seus estudos ou completar sua escolaridade na idade compatível com a seriação. Ainda temos uma distorção idade/ano de escolaridade gigantesca. Mesmo tendo a consciência de que nada disso é novidade, não me furto de trazer estas questões, acirradas no ano escolar com o distanciamento social deflagrado devido à pandemia, vivenciada mundialmente, e que gerou uma grave crise sanitária, mudando nossas vidas e nos impedindo de estarmos na sala de aula.

A consequência mais imediata para a escola e seus processos de ensinar e de aprender foi o desafio de manter esses processos de forma contínua, em sua essência, atendendo à multiplicidade de interlocutores que temos na sala de aula. Neste momento, fomos afastados da sala de aula presencial, tivemos a vida invadida pela tecnologia, com as aulas em salas virtuais, em diferentes plataformas. Por fim, remotamente.

Fomos, sem dúvida alguma, retirados de nossas certezas, de nossas estratégias metodológicas, sendo levados a usar formas novas – tecnológicas – para assegurar os direitos de aprendizagem do ano letivo. A situação ora vivida põe a nu duas questões centrais do processo educativo, quais sejam: o que é aprender e como ensinar.

Reconheço toda a diligência requerida dos docentes para levarmos adiante o referido processo. Reconheço, também, as novidades que o momento traz para a escola. Defendo, no entanto, que ensinar tem de partir da premissa de promover aprendizagens sintonizadas com as necessidades, as possibilidades e os interesses dos estudantes, a fim de formar pessoas autônomas, capazes de relacionar e usar essas aprendizagens na vida. Essa premissa não pode ser nova. Dessa forma, o contexto social deveria ter levado os profissionais da escola a pensar nos desafios do suporte e não no desafio do entendimento dessas premissas, julgadas essenciais.

A observação das diferentes práticas pedagógicas em aulas de Língua Portuguesa me leva a afirmar que, na verdade, houve uma interseção de desafios: o da tecnologia e dos princípios regentes das referidas práticas, visto que, mesmo no presencial, vigoram (vigoravam) práticas prescritivas, muitas vezes ignorando o saber fazer.

As tecnologias digitais de informação e de comunicação requerem de seus usuários múltiplas capacidades: autonomia, tomada de decisão, visão crítico-analítica, saber ler e escrever. Portanto, defendo haver princípios basilares nas aulas de Língua Portuguesa, independente do suporte em que a aula aconteça. Por isso, proponho algumas considerações sobre algo que nos é muito caro: o ensino de leitura e de escrita e da análise linguística. Espero poder contribuir com algumas reflexões que considero importantes para o ensino de Língua Portuguesa.

PRINCÍPIOS BÁSICOS

Nenhum docente atuante em nossos dias pode contestar o princípio de que o trabalho didático bem articulado com textos é, sem dúvida, uma das mais eficazes e polivalentes atividades no processo ensino-aprendizagem de línguas. A um só tempo veículo de informações, de disseminação do conhecimento de todas as áreas, o texto, também, pode ser visto (ou deve ser visto) como objeto de estudos. O fato é que um texto enseja possibilidades de trabalho que podem associar o prazer da leitura ao desenvolvimento da reflexão crítica, o que significa ampliação de conhecimentos.

Todavia, sempre que esse assunto surge em meio às discussões pedagógicas, vem à tona, com ele, uma série de questionamentos sobre as dificuldades de trabalhar com a leitura: falta de biblioteca na escola, falta de tempo, devido à grande quantidade de conteúdos a serem ministrados, desinteresse dos alunos, dentre outros tantos pontos. Tais dificuldades se desvanecem, ao modificarmos nossos conceitos sobre o que vem a ser estudo de um texto, se questionarmos, efetivamente, quais objetos de conhecimento devem ser ensinados e quando devem ser ensinados, ou se devem ser desenvolvidas diferentes habilidades para as competências de leitura e de escrita. Quando assim falamos e pensamos, entra em cena uma grande indagação do ensino de Língua Portuguesa: quando e como ensinar gramática? É evidente que não conseguiremos responder a essas questões de forma rápida e simples, mas a compreensão da importância dessas reflexões é um passo importante. À primeira vista, em uma resposta simples, há de se afirmar que não podemos distanciar o ensino da leitura e da escrita do ensino da gramática. Melhor dizendo: proponho que não se pode descolar o ensino da leitura e da escrita da análise linguística.

Não só nas situações didáticas, mas também em todas as outras tarefas da vida, se queremos ser bem-sucedidos, precisamos, antes de tudo, focar naquilo que vamos realizar. Se mesmo as ações simples de nosso cotidiano demandam essa reflexão, tanto mais a demandará nossa prática em sala de aula, com a qual esperamos estar contribuindo para formação de nossos estudantes. Para que o processo ensinar-aprender alcance sucesso, é necessário pensá-lo a partir de quatro perguntas iniciais que originam mais quatro:

Quadro 1 – Perguntas básicas para a consecução de um planejamento

Para que estou ensinando?	Qual meu objetivo?
O que tenho que ensinar?	Quais objetos de conhecimentos?
O que precisa ser desenvolvido?	Que habilidades?
Como ensinar o que devo ensinar?	Quais as estratégias a serem usadas?

Responder a essas perguntas é empreender uma ação reflexiva sobre nossa prática docente, visando ao seu sucesso. Para se responder à **primeira pergunta**, deve-se refletir sobre o objetivo de trabalhar a leitura/a escrita em sala de aula. Se há como objetivo contribuir para a formação de um sujeito leitor/produtor de texto capaz de decodificar os textos da cultura, lendo criticamente a realidade que o cerca, melhor garantindo seus direitos, isso implica, antes de tudo, ajudar o estudante a adquirir a consciência de que leitura/escrita podem lhe conferir esse poder. Para que tal se dê, é preciso colocar os estudantes em contato com os textos e ajudá-los a entender as funções sociocultural e discursiva dos mesmos.

A partir desse ponto surge a **segunda pergunta** e com ela a necessidade de se definir que textos podem ser selecionados, apresentados aos estudantes, onde encontrá-los. Tendo em vista que nosso objetivo é tanto motivar o aluno à leitura quanto torná-lo um leitor crítico, um produtor de texto proficiente, os textos a serem trabalhados deverão abranger a maior variedade possível: textos literários e não literários, jornalísticos, publicitários, de modo que o aluno possa perceber o quanto nossa vida está plenamente circundada por texto, e sua leitura deve ser uma atividade cotidiana, parte integrante de sua realidade e não uma atividade, apenas, escolar.

Por exemplo, ao ensinar as crianças a fazerem contas, o professor dos anos iniciais de escolaridade procura mostrar aos alunos que aprender a fazer contas é necessário para as atividades diárias, inclusive para as atividades profissionais das pessoas. É comum ensinar a fazer contas a partir de simulações de vendas e de preparação de receitas culinárias, por exemplo. Pode-se dizer que são formas de leituras diferenciadas e o professor deve mostrar os contextos reais de uso desse conhecimento. É muito comum vermos pessoas, consideradas analfabetas, aprenderem na prática a fazer contas. (Caso contrário, não sobrevivem na realidade!)

Em se tratando de aprendizagem de leitura/escrita, por vezes, pode parecer distanciado de nossa vida prática a necessidade de leitura e de escrita porque, quando pensamos em ler, passa pelo imaginário social a leitura de livros, a leitura cobrada na escola, a leitura indicada pelo professor que enseja a avaliação por intermédio de uma prova. Saber ler e escrever está muito além da "leitura/escrita da escola". A escola precisa entender isso. Cabe aos professores mostrar aos estudantes que as habilidades de leitura e de escrita são diferentes, são imprescindíveis não só para o convívio social como para o exercício pleno de sua cidadania, considerando que o desenvolvimento da capacidade de leitura não pode se restringir às aulas de língua materna.

A **terceira pergunta** pode ser respondida, considerando o desenvolvimento da capacidade de leitura e de escrita como foco de investigação do emprego de competências e de habilidade de linguagem. Essas habilidades de linguagem pressupõem os recursos linguísticos não na sua identificação e sua classificação, mas no seu uso. Defendo ser um ponto essencial para os processos discutidos o desenvolvimento de habilidades de uso do texto, uso da gramática, uso da escrita. Sem dúvida, as estratégias de metalinguagem, também, devem acontecer, mas essas não podem se sobrepor às estratégias de uso da língua.

Somente respondendo às três primeiras perguntas, o professor pode se debruçar na escolha das estratégias – **a quarta pergunta** – a serem usadas para o desenvolvimento do processo de aprendizagem. Neste sentido, defendo que não importa que o ensino seja presencial ou remoto.

As perguntas acima podem e devem nortear o planejamento de qualquer área de conhecimento. Nosso compromisso neste capítulo é tecer considerações sobre o ensino de Língua Portuguesa. Por isso, vamos nos ater à tríade leitura, escrita e análise linguística. Antes, porém, há de se deixar registrado que leitura e escrita estão circunscritas ao saber fazer de todas as áreas de conhecimento.

A leitura é concebida como um processo complexo e abrangente de compreensão, de produção e de atribuição de sentidos que faz rigorosas exigências ao cérebro, à memória e à emoção. Por isso, é mais do que mera decodificação. É, exatamente, nesse aspecto que a análise linguística é contemplada. "Para que o texto que eu leio, para que o texto que eu escrevo faça sentido, eu não posso deixar de lado o meu conhecimento de gramática." O que significa, portanto, fazer essa afirmação? Significa dizer que a existência de uma língua pressupõe a existência de uma gramática dessa língua. No entanto, somente saber a regra, saber a classificação não me faz um melhor usuário da língua. A Língua Portuguesa só se realiza plenamente no uso, no contexto, na interação entre os sujeitos, na fala e na escrita.

Esta gramática pressupõe dois processos muito importantes do seu usuário que é de seleção e de combinação dos fonemas, das palavras, que formam frases, períodos, parágrafos e textos em dado contexto porque esse pressupõe o sentido. Logo, defendo que saber a gramática da língua é saber reconhecer o efeito de sentidos dessas seleções e combinações que estamos, falantes da língua, permanentemente realizando.

EXEMPLIFICAÇÃO

A fim de entender essa genial complexidade da função social da leitura e da escrita, sem maiores pretensões, apresento um belo poema de José Paulo Paes:

Mistério de amor

É o beija-flor

Que beija a flor

Ou é a flor

Que beija o beija-flor?

PAES, José Paulo. Poemas para brincar. 2011.

Observe o jogo de palavras proposto no poema com as palavras beija-flor/beija/Flor, diferentes tanto na classe de palavras (morfologia) quanto na função (sintaxe). A combinação revelada no poema (proposital ou não, não sabemos!) mostra efeitos de sentidos amplos, abrangentes. Não basta ao leitor saber se tratar de um substantivo ou verbo, por exemplo, ou que há substantivos simples e compostos. O leitor proficiente deverá reconhecer que há seleção e combinação distintas nas duas estrofes que trazem efeitos de sentidos diferentes para o propósito comunicativo do texto.

Veja, também, a combinação de palavras do título: *Mistérios de amor*. A preposição *de*, mais generalista, imputa um efeito diferente de combinação, impregnando o sintagma de universalidade, considerando a especificidade desta locução adjetiva: de amor. Se o sintagma fosse Mistérios do amor, haveria uma particularização desta locução adjetiva que mudaria, em muito, o sentido da expressão.

Fala-se que a leitura e a escrita mobilizam processos cognitivos diferentes porque uma das habilidades – de leitura – é reconhecer, no exemplo, o efeito na combinação proposta. Constitui-se em outra habilidade ser capaz de fazer uma dada combinação, proporcionando o efeito que se deseja como escritor, atendendo a sua intenção comunicativa.

Para o desenvolvimento das habilidades de leitura e de escrita dos estudantes dos anos iniciais, em seus diferentes ciclos, é muito importante que tomem, o que se denomina, "Consciência linguística do uso". Quanto mais estiverem expostos a diferentes textos, abordados em sala de aula em sua estrutura discursiva, mais essa consciência aflorará.

Esse processo de aprendizado da língua escrita é um processo contínuo e progressivo que se desenvolve ao longo da vida. Para participar plenamente do mundo do letramento, o indivíduo deve desenvolver habilidades variadas, complexas, diversas. Essas habilidades vão do domínio do código e dos instrumentos à competência comunicativa e interacional de atuação nas múltiplas práticas sociais que vão sendo constituídas, historicamente.

A leitura constitui uma das práticas de letramento dentro de um conjunto de práticas sociais que usam a escrita, em contextos específicos, para objetivos específicos. Entende-se, portanto, que o conceito de linguagem pressupõe sujeitos que interagem no processo de comunicação. É dessa perspectiva que advém a importante função da escola, qual seja o desenvolvimento da competência discursiva dos estudantes.

Reitero que o desenvolvimento da capacidade de leitura e de escrita mobiliza processos cognitivos diferentes e por isso é necessária uma prática pedagógica voltada para o desenvolvimento dessas competências que exigem habilidades diferentes, mas que se complementam porque trata, na verdade, do desenvolvimento da capacidade discursiva do sujeito. Por conseguinte, o discurso pressupõe o entendimento dessa gramática em uso. Para tanto, há a contínua necessidade de desafios intelectuais para a promoção do conhecimento. A meu ver, esses desafios ocorrem por intermédio dos diferentes textos que oferecemos aos nossos estudantes, nas leituras que propomos a eles, nas análises que fazemos na interação de sala de aula. Mais uma vez, não importa o suporte que estamos utilizando.

Por isso, o estudo da língua em uso só pode ocorrer sob a forma dos textos, dos diferentes discursos, evidenciando-se que o estudo das regularidades discursivas e textuais, na sua produção e interpretação, pode e deve constituir o objeto de ensino de uma língua. A leitura e a escrita pressupõem o desenvolvimento da seguinte tríade:

Figura 1– Tríade do desenvolvimento da Leitura, da Escrita e da Análise Linguística.

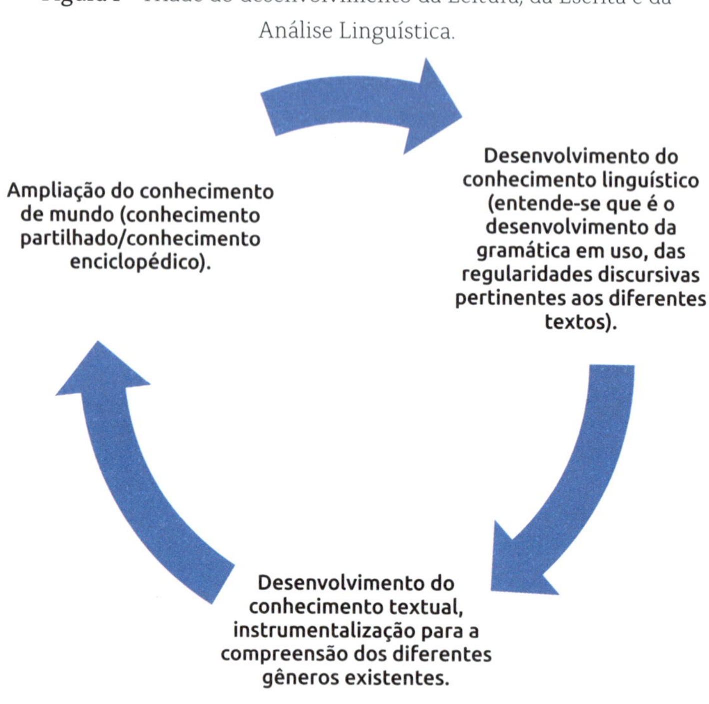

Fonte: Elaborado pela autora (2020).

CONSIDERAÇÕES FINAIS

No dizer de TROUCHE (2006 p.144), a leitura como atividade pedagógica requer do professor uma experiência como leitor capaz de permitir uma orientação segura a seus alunos, para que sejam leitores menos ingênuos, ao lidar com as diferentes construções textuais. Acrescento a essa visão a premência de se incorporarem no fazer das salas de aulas abordagens teórico-metodológicas, a fim de se cumprir, efetivamente, a função de desenvolver a capacidade de leitura e de escrita dos estudantes do Ensino Básico, propondo a análise textual que perpassa pela análise linguística. Para o professor, somente o desenvolvimento de sua capacidade plena de leitura lhe permitirá a elaboração de materiais didáticos que fujam da mesmice, da leitura superficial, da mera localização de informações explícitas do texto.

Em tempos de novas tecnologias, é preciso registrar que estudar os textos clássicos, a literatura, não está "fora de moda". Enfatizo que, a despeito da modernidade, a aquisição do conhecimento ocorre por intermédio da leitura de diferentes textos. É preciso investir nos modelos. É preciso experimentar, fazer uso dos recursos da língua na produção de sentidos. Essa é uma longa caminhada. Precisamos ampliar mais e mais os horizontes de nossos estudantes, leitores em potencial, para que sejam provocados.

Há de se ter em mente, no entanto, que as tecnologias vêm para somar capacidades, para ampliar o universo de experiências textuais tanto dos estudantes quanto dos professores. Mobilizar práticas de linguagem no universo digital, competência 7 da BNCC-EM, é ensejar a expansão das formas de produzir sentido, de aprender a aprender em diferentes campos do saber. É preciso, no entanto, que crianças e jovens tenham desenvolvida uma visão crítica, ética dos usos de linguagem nesse universo. Portanto, não se trata, de forma alguma, de trabalhar as técnicas das tecnologias digitais, mas saber selecionar, compreender e produzir criticamente sentidos.

Por fim, produzir sentidos criticamente deve ser a meta a alcançar seja na sala de aula presencial seja na sala remota, nas situações digitais. Não percamos isso de vista!

REFERÊNCIAS

KOCH, Ingedore. *Desvendando os segredos do texto.* 2. ed. São Paulo: Cortez, 2002.

MARCUSCHI, Luiz Antonio. Gêneros textuais: definição e funcionalidade. In: *Gêneros textuais & ensino.* DIONÍSIO, Ângela Paiva; MACHADO, Anna Rachel; BEZERRA, Maria Auxiliadora (Org.). 4. ed. Rio de Janeiro: Lucerna, 2005.

MINISTÉRIO DA EDUCAÇÃO. *Base Nacional Comum Curricular. Educação é a Base.* Ensino Fundamental. <http://portal.mec.gov.br/index.php>. Acesso em 10 de novembro de 2020.

MINISTÉRIO DA EDUCAÇÃO. *Base Nacional Comum Curricular. Educação é a Base.* Ensino Médio. <http://portal.mec.gov.br/index.php>. Acesso em 10 de novembro de 2020.

PAES, José Paulo. *Poemas para Brincar.* São Paulo: Ática Infantil, 2011.

RODARI, Gianni. *Gramática da Fantasia.* São Paulo: Summus Ed., 1982.

TROUCHE, Lygia Maria Gonçalves. Polifonia e intertextualidade: as vozes da notícia. In: *Estratégias de Leitura: texto e ensino.* PAULIUKONIS, Maria Aparecida & SANTOS, Leonor Werneck dos (Orgs.). Rio de Janeiro: Lucerna, 2006.

A LEITURA, A ESCRITA E A LITERATURA NO ENSINO FUNDAMENTAL MEDIADAS PELAS TECNOLOGIAS DIGITAIS

Neiva de Souza Boeno

APONTAMENTOS INICIAIS

Precisamos enfatizar, inicialmente, que formar leitores é um compromisso dos professores de todas as áreas do conhecimento, como cidadãos e como formadores de opinião. Neste texto, convocamos a Literatura que tem a potencialidade da formação humanística e integral do ser humano, bem como a formação literária e linguística. Importa, por exemplo, lembrar-nos de que uma das ações prescritas na Base Nacional Comum Curricular (BNCC), mais notadamente na nona competência específica de Língua Portuguesa, diz respeito à relevância de envolver os alunos em "práticas de leitura literária" (BRASIL, 2018, p. 87).

Essa reflexão inicial está arraigada na escrita de muitos pensadores, como Antonio Candido (2011) que defendeu sua tese de que a literatura humaniza porque nos faz vivenciar diferentes realidades, para além do contexto real do leitor. Dessa concepção, podemos afirmar que a relação do leitor com a obra literária pode promover impactos no ser humano, em maior ou menor grau de incidência. Essa possibilidade dos impactos foi denominada por Candido (2011) como "processo de humanização", em seu ensaio *O direito à literatura*, e o descreve como

> o processo que confirma no homem aqueles traços que reputamos essenciais, como o exercício da reflexão, a aquisição do saber, a boa disposição para com o próximo, o afinamento das emoções, a capacidade de penetrar nos problemas da vida, o senso da beleza, a percepção da complexidade do mundo e dos seres, o cultivo do humor. A literatura desenvolve em nós a quota de humanidade na medida em que nos tor-

> na mais compreensivos e abertos para a natureza, a sociedade, o semelhante [...] (CANDIDO, 2011, p. 182).

A "quota de humanidade" promovida pela leitura literária nos faz considerar o "outro", o "semelhante", a "natureza", ou seja, um mundo inteiro com tudo o que nele há. O ato educativo tem esse movimento, pois o professor deve propiciar a esse "outro", o aluno, espaços de conhecimento e de fruição da literatura como um "direito inalienável", para além dos direitos e bens fundamentais como alimentação, saúde, moradia, educação e crença. Para isso, o professor precisa, em princípio, "saber de Literatura": um saber que se aprende; um saber que considera a constituição de conhecimentos, que desenvolve habilidades, atitudes e valores. Um saber que impulsiona o nosso viver (porque nos faz pensar e agir diversamente e de forma mais ética), enriquecendo, assim, nosso modo de ver a vida, as coisas, as pessoas, o mundo.

Com base nessas reflexões, a seleção das obras literárias e a sugestão das atividades pedagógicas, aqui apresentadas, partiram de nossas experiências docentes em uma escola pública de Ensino Fundamental e de nossas pesquisas, especialmente as de doutoramento em que tivemos o romance *Água Viva* (1973), de Clarice Lispector, como objeto de estudo (BOENO, 2019).

Nesse sentido, nossa proposição envolve as cinco obras de Literatura Infantil de Clarice Lispector e outros conteúdos relacionados à escritora para compormos o ambiente virtual de aprendizagem. Outra razão motivacional para a seleção das obras literárias de Clarice Lispector, especialmente no ano de 2020, deu-se por ser o ano em que foi comemorado o centenário de nascimento da escritora, como nosso ato de homenagem a ela, diante de tão precioso legado (romance, crônica, contos, cartas etc.) deixado para a sociedade brasileira e estrangeira.

Ao propormos as atividades de leitura de textos literários, não queremos apenas formar leitores consumidores de textos (aqueles que apenas exercem a atividade de ler, uma única vez), mas também a de formar "leitores-escritores", como nos explica Barthes (2004), que são aqueles tipos de leitores que, no ato de ler, também escrevem, ou seja, fazem relação do texto que estão lendo com outro(s) texto(s) ou recordam outro(s) escritor(es), criam novos textos, e isso se dá por meio de uma leitura dialógica (BAKHTIN, 2011). Precisamos formar, portanto, o gosto estético desses leitores, entendendo-se "gosto" como a "principal atividade cultural, entre as faculdades políticas dos homens" (ARENDT, 1979, p. 277).

A PROPOSTA DIDÁTICA EM DIÁLOGO COM A BNCC

Nossa proposta didática visa ao trabalho com a leitura, a escrita, a Literatura e, sobretudo, com o livro, os quais devem ser compreendidos como vitalidades em nosso fazer pedagógico e em nosso ato de existência. Esta proposição está em consonância e diálogo com as competências e habilidades da BNCC, do componente curricular Língua Portuguesa, as quais apresentamos a seguir. As habilidades que selecionamos para serem desenvolvidas por meio das atividades fazem parte de dois campos de atuação: o *Campo das práticas de estudo e pesquisa* e o *Campo artístico-literário*. Esses dois campos são os únicos que atravessam todas as etapas do Ensino Fundamental e Ensino Médio.

Quadro 1 – Proposta didática articulada com a BNCC

COMPONENTE CURRICULAR	Língua Portuguesa
ANO	7º do Ensino Fundamental – anos finais
DURAÇÃO	15 aulas (a serem modificadas conforme as demandas educativas, o contexto de sala de aula)
OBJETIVOS GERAIS	Realizar práticas de leitura de textos literários, com a leitura de cinco obras de Literatura Infantil da escritora Clarice Lispector, simultaneamente a outras práticas de linguagem, com ações de curadoria, apreciação e criação de textos narrativos.
CAMPO DAS PRÁTICAS DE ESTUDO E PESQUISA	
Eixo Leitura – Habilidade	
(EF67LP20) Realizar pesquisa, a partir de recortes e questões definidos previamente, usando fontes indicadas e abertas.	
Eixo Oralidade – Habilidades	
(EF67LP23) Respeitar os turnos de fala, na participação em conversações e em discussões ou atividades coletivas, na sala de aula e na escola e formular perguntas coerentes e adequadas em momentos oportunos em situações de aulas, apresentação oral, seminário etc. **(EF67LP24)** Tomar nota de aulas, apresentações orais, entrevistas (ao vivo, áudio, TV, vídeo), identificando e hierarquizando as informações principais, tendo em vista apoiar o estudo e a produção de sínteses e reflexões pessoais ou outros objetivos em questão.	

CAMPO ARTÍSTICO-LITERÁRIO
Eixo Leitura – Habilidades
(EF67LP27) Analisar, entre os textos literários e entre estes e outras manifestações artísticas (como cinema, teatro, música, artes visuais e midiáticas), referências explícitas ou implícitas a outros textos, quanto aos temas, personagens e recursos literários e semióticos. **(EF67LP28)** Ler, de forma autônoma, e compreender – selecionando procedimentos e estratégias de leitura adequados a diferentes objetivos e levando em conta características dos gêneros e suportes –, romances infantojuvenis, contos populares, contos de terror, lendas brasileiras, indígenas e africanas, narrativas de aventuras, narrativas de enigma, mitos, crônicas, autobiografias, histórias em quadrinhos, mangás, poemas de forma livre e fixa (como sonetos e cordéis), vídeo-poemas, poemas visuais, dentre outros, expressando avaliação sobre o texto lido e estabelecendo preferências por gêneros, temas, autores. **(EF69LP44)** Inferir a presença de valores sociais, culturais e humanos e de diferentes visões de mundo, em textos literários, reconhecendo nesses textos formas de estabelecer múltiplos olhares sobre as identidades, sociedades e culturas e considerando a autoria e o contexto social e histórico de sua produção. **(EF69LP46)** Participar de práticas de compartilhamento de leitura/recepção de obras literárias/ manifestações artísticas, como rodas de leitura, clubes de leitura, eventos de contação de histórias, de leituras dramáticas, [...] entre outros, tecendo, quando possível, comentários de ordens estética e afetiva e justificando suas apreciações, escrevendo comentários [...], entre outras possibilidades de práticas de apreciação e de manifestação da cultura. **(EF69LP49)** Mostrar-se interessado e envolvido pela leitura de livros de literatura e por outras produções culturais do campo e receptivo a textos que rompam com seu universo de expectativas, que representem um desafio em relação às suas possibilidades atuais e suas experiências anteriores de leitura, apoiando-se nas marcas linguísticas, em seu conhecimento sobre os gêneros e a temática e nas orientações dadas pelo professor.

Eixo Oralidade – Habilidades
(EF69LP53) Ler em voz alta textos literários diversos – como contos de amor, de humor, de suspense, de terror; crônicas líricas, humorísticas, críticas; bem como leituras orais capituladas (compartilhadas ou não com o professor) de livros de maior extensão, como romances, narrativas de enigma, narrativas de aventura, literatura infantojuvenil, – [...], expressando a compreensão e interpretação do texto por meio de uma leitura ou fala expressiva e fluente, que respeite o ritmo, as pausas, as hesitações, a entonação indicados tanto pela pontuação quanto por outros recursos gráfico-editoriais, como negritos, itálicos, caixa-alta, ilustrações etc., gravando essa leitura ou esse conto/reconto, seja para análise posterior, seja para produção de *audiobooks* de textos literários diversos ou de *podcasts* de leituras dramáticas com ou sem efeitos especiais [...]
Eixo Produção de texto – Habilidades
(EF67LP30) Criar narrativas ficcionais, tais como contos populares, contos de suspense, mistério, terror, humor, narrativas de enigma, crônicas, histórias em quadrinhos, dentre outros, que utilizem cenários e personagens realistas ou de fantasia, observando os elementos da estrutura narrativa próprios ao gênero pretendido, tais como enredo, personagens, tempo, espaço e narrador, utilizando tempos verbais adequados à narração de fatos passados, empregando conhecimentos sobre diferentes modos de se iniciar uma história e de inserir os discursos direto e indireto.
Eixo Análise linguística/semiótica – Habilidades
(EF67LP32) Escrever palavras com correção ortográfica, obedecendo as convenções da língua escrita. **(EF67LP33)** Pontuar textos adequadamente. **(EF67LP38)** Analisar os efeitos de sentido do uso de figuras de linguagem, como comparação, metáfora, metonímia, personificação, hipérbole, entre outras.

COMPETÊNCIAS ESPECÍFICAS DE LÍNGUA PORTUGUESA
• Apropriar-se da linguagem escrita, reconhecendo-a como forma de interação nos diferentes campos de atuação da vida social e utilizando-a para ampliar suas possibilidades de participar da cultura letrada, de construir conhecimentos (inclusive escolares) e de se envolver com mais autonomia e protagonismo na vida social. • Ler, escutar e produzir textos orais, escritos e multissemióticos que circulam em diferentes campos de atuação e mídias, com compreensão, autonomia, fluência e criticidade, de modo a se expressar e partilhar informações, experiências, ideias e sentimentos, e continuar aprendendo. • Empregar, nas interações sociais, a variedade e o estilo de linguagem adequados à situação comunicativa, ao(s) interlocutor(es) e ao gênero do discurso/gênero textual. • Reconhecer o texto como lugar de manifestação e negociação de sentidos, valores e ideologias. • Selecionar textos e livros para leitura integral, de acordo com objetivos, interesses e projetos pessoais (estudo, formação pessoal, entretenimento, pesquisa, trabalho etc.). • Envolver-se em práticas de leitura literária que possibilitem o desenvolvimento do senso estético para fruição, valorizando a literatura e outras manifestações artístico-culturais como formas de acesso às dimensões lúdicas, de imaginário e encantamento, reconhecendo o potencial transformador e humanizador da experiência com a literatura. • Mobilizar práticas da cultura digital, diferentes linguagens, mídias e ferramentas digitais para expandir as formas de produzir sentidos (nos processos de compreensão e produção), aprender e refletir sobre o mundo e realizar diferentes projetos autorais.
OBJETOS DE CONHECIMENTO
Eixo Leitura Curadoria de informação. Reconstrução das condições de produção, circulação e recepção.

Relação entre textos.
Estratégias de leitura.
Apreciação e réplica.
Reconstrução da textualidade.
Compreensão dos efeitos de sentidos provocados pelos usos de recursos linguísticos e multissemiótico.
Adesão às práticas de leitura.

Eixo Oralidade
Conversação espontânea.
Procedimentos de apoio à compreensão.
Tomada de nota.
Produção de textos orais.
Oralização.

Eixo Produção de textos
Construção da textualidade.
Relação entre textos.

Eixo Análise linguística/semiótica
Fono-ortografia.
Elementos notacionais da escrita.
Figuras de linguagem.

MATERIAIS

- As cinco obras de Clarice Lispector, por ordem da primeira publicação:
  - 1967: *O mistério do coelho pensante*. Ilustrações de Mariana Massarani. RJ: Editora Rocco, 1999.
  - 1968: *A mulher que matou os peixes*. Ilustração de Flor Opazo. RJ: Editora Rocco, 1999.
  - 1974: *A vida íntima de Laura*. Ilustrações de Flor Opazo. RJ: Editora Rocco, 1999.
  - 1978: *Quase de verdade*. Ilustração de Pinky Wainer. Editora Siciliano, 1993.
  - 1987: *Como nascem as estrelas: doze lendas brasileiras*. Ilustrações de Fernando Lopes. Editora Rocco, 1999.

• Outros textos de várias semioses (vídeos, músicas, audiolivros etc.) estão disponibilizados no *Clube de leitura – Sala Flor-de-Lis*, todos reunidos na página: http://bit.ly/LiteraturaProfaNeivaBoeno (BOENO, 2020). Os conteúdos digitais podem ser ampliados conforme o andamento da aula e das necessidades de aprendizagem dos alunos. • Sugestão de recursos: computador e/ou celular, fones de ouvido; *WhatsApp, Telegram* (fotos e áudios); *Formulários Google, Kahoot, PadLet, Power Point* (atividades e conteúdos); *Zoom, Google Hangouts, Google Meets, Teams, podcast, videochamada* etc.
AVALIAÇÃO
Adotamos para esta proposta a avaliação formativa, processual e contínua, de forma que cada aluno fosse avaliado durante todo o processo educativo e não apenas ao final. Consideramos todas as interações e atividades realizadas em aula e fora de aula como motivos (pretextos) avaliativos. Compreendemos esse tipo de avaliação formativa e processual não como punição, mas como ponto de partida para a verificação do desenvolvimento intelectual do aluno; assim, acompanhando-o passo a passo (observando a assiduidade, o comprometimento com os estudos, a participação espontânea ou mediada, a resolução de atividades – *on-line* e *off-line* – individuais e/ou em grupo, entre outras estratégias) temos condições de realizar intervenções quando forem necessárias para que ele (o aluno) possa construir novos conhecimentos e avance nos estudos.

FONTE: Quadro elaborado por Neiva de Souza Boeno (2020).

Vale ressaltar, ainda, que as competências e as habilidades serão desenvolvidas ao longo da proposição temática; portanto, vai depender do andamento das atividades e do desenvolvimento do aluno, de forma que tanto as competências quanto as habilidades poderão ser atendidas parcial ou integralmente. Importa, também, sublinhar que esta proposição pode ser adequada a outros anos do Ensino Fundamental e do Ensino Médio.

PLANO DE DESENVOLVIMENTO DAS ATIVIDADES

A sequência de atividades foi pensada em sete etapas. Sugerimos, antes das etapas de desenvolvimento das atividades, a preparação do ambiente virtual de aprendizagem pelo professor e apresentamos a nossa página na *web* como ponto de referência para novos e futuros planejamentos.

1.1 Preparação do ambiente de aprendizagem com conteúdos digitais

O professor inicia sua proposta didática selecionando os materiais e organizando-os em um espaço virtual. Aqui, criamos o espaço virtual de aprendizagem com o nome *Sala Flor-de-Lis*, que será nosso *Clube de leitura virtual*. Essa sala virtual recebe a denominação em homenagem à origem latina do sobrenome da escritora Clarice Lispector, a qual será apresentada aos alunos por meio dos vários textos de diversas semioses (literatura infantil, vídeo, música, fotografia, imagens, audiolivro, textos escritos, livros disponíveis na *web* etc.).

Os materiais selecionados por nós podem ser acessados em nossa página[7] criada por meio da ferramenta chamada *PadLet*. Essa ferramenta permite "a criação de um mural ou quadro virtual dinâmico e interativo para registrar, guardar e partilhar conteúdos multimídia" (UFSCar; SEAD, 2018, p. 2).

---

7 https://bit.ly/LiteraturaProfaNeivaBoeno (BOENO, 2020).

O ambiente virtual nasce para ser utilizado em aula remota, e principalmente utilizado em uma metodologia de *sala de aula invertida* (BERGMANN; SAMS, 2016; BERGMANN, 2018), a qual demanda que o aluno realize uma leitura prévia dos conteúdos digitais disponibilizados, estude e pesquise em seu tempo fora da aula, preferencialmente antes da aula tematizada, para que possa trazer suas opiniões, comentários, dúvidas e acompanhar as discussões e obter melhor aproveitamento das informações. Nesse sentido, o espaço do diálogo em sala de aula remota transcorre com mais riqueza de discussão e de efetiva realização das atividades, dos projetos e trabalhos definidos para a aula.

Antes da navegação dos alunos no ambiente virtual, o professor, inicialmente, apresenta a página digital, o que ela traz e o como eles podem utilizá-la nos estudos deles. Como já dissemos, esse espaço é compreendido por nós como *Clube de leitura virtual*, no qual o aluno realizará um trabalho autônomo de leitura, criando seu percurso de conhecimento sobre o estilo da autora, a biografia e as obras indicadas. Além disso, o aluno se movimentará na função de protagonista de sua pesquisa, de seu estudo e de seu desenvolvimento intelectual. O professor, nessa metodologia, assume o papel de mediador, condutor, facilitador do ensino.

Ressaltamos que ao criarmos um ambiente de aprendizagem no *PadLet*, nós, professores, podemos continuar alimentando esse espaço virtual com novos textos, novos conteúdos, novas provocações pedagógicas; materiais que possam ampliar o repertório de leitura, de pesquisa e de estudo a ser realizado pelo aluno fora de aula. Nesse espaço virtual, o aluno pode aprofundar-se no seu desenvolvimento como leitor, pesquisador e produtor de textos.

A organização e a ordenação das postagens na sala virtual podem ser realizadas a cada nova inserção de conteúdos, conforme planejado pelo professor em relação à temática da sala criada e à demanda de ensino e aprendizagem que forem aparecendo nas aulas, a partir das necessidades diagnosticadas durante a realização das atividades.

O professor, na função de mediador, apoiará os alunos sempre que for solicitado em aula remota, tirando dúvidas, aprofundando o tema e estimulando o diálogo, a colaboração, a interação, de forma a proporcionar aos alunos um aprendizado mais amplo. E, por fim, motivando-os de forma que, cada vez mais, os alunos se dediquem a explorar a sala virtual e a realizar as leituras dos textos lá disponibilizados. Outro aspecto a ressaltar diz respeito ao leiaute do ambiente que pode ser customizado de acordo com a temática e os propósitos didático-pedagógicos, como exemplificamos por meio do leiaute de nossa página na *web* (Figura 1).

FIGURA 1 – Leiaute do *Clube de leitura virtual – Sala Flor-de-Lis*

FONTE: Ambiente de aprendizagem – Sala virtual criada por Neiva de Souza Boeno (2020).

1.2 As etapas e as atividades

Descrevemos, nas subseções a seguir, as etapas de desenvolvimento de nossa proposta didática relacionada à leitura de uma das cinco obras de literatura infantil de Clarice Lispector: *A vida íntima de Laura,* de 1974. Importa ressaltar que as etapas e as atividades sugeridas, neste texto, podem ser adaptadas para a leitura das outras quatro obras de Clarice (elencadas no Quadro 1). Para tanto, vale esclarecer que o professor-leitor fique atento para a necessidade de ajustar as etapas e as atividades às especificidades do contexto educacional em que atua. Certo é que cada aluno apresenta peculiaridades que apontam as demandas de linguagem a serem priorizadas e replanejadas no processo de ensino. Ressalta-se, também, que se trata de uma possibilidade didática assertiva, em razão dos avanços observados em nosso contexto.

1.2.1 Primeira etapa: ponto de partida – diálogo e atividade inicial

Em aula remota, sugerimos que a aula inicie com uma conversa sobre leitura, livros e escritores. Em seguida, o professor pode lançar a primeira atividade, disponibilizada *on-line* via formulário digital com questões para o levantamento do perfil leitor dos alunos, a ser respondido no início da aula, logo depois do diálogo que inaugurou a temática. É uma atividade que pode ser lançada a qualquer tempo durante o ano letivo, assim o professor terá sempre novos e atualizados subsídios para ir planejando o percurso educativo para aquela turma, atendendo às demandas específicas, sempre pensando no desenvolvimento das habilidades dos educandos, e selecionando caminhos para ampliação do repertório de leitura e de escrita nas várias textualidades, gêneros discursivos (textos) primários ou secundários (BAKHTIN, 2011; PONZIO, 2017).

O aluno, ao responder o formulário (criado pelo professor no *forms.google.com*), terá de escrever seu nome completo e indicar sua turma/ano, uma vez que isso possibilitará ao professor o acompanhamento e o registro do desenvolvimento individual do aluno. As respostas de cada aluno irão compor um portfólio individual e servirão como instrumentos avaliativos de participação, assiduidade e análise processual das habilidades desenvolvidas. A atividade inicial de leitura pode ser configurada como apresentamos na imagem a seguir (Figura 2).

FIGURA 2 – Atividade inicial de leitura

Atividade inicial de leitura

Vamos pensar sobre escritores e livros!

*Obrigatório

Qual é o seu nome completo? (sem abreviações) Qual é a turma/ano em que você estuda? *

Sua resposta

1) Quais os autores de livros que você conhece? *

Sua resposta

2) Quais livros você esta lendo atualmente? *

Sua resposta

3) Quais livros você já leu? *

Sua resposta

Enviar

FONTE: Atividade elaborada por Neiva de Souza Boeno (2020).

Essa atividade é composta de três questões, além do espaço em que o aluno irá se identificar. Aqui as transcrevemos:

- Quais os autores de livros que você conhece?
- Quais livros você está lendo atualmente?
- Quais livros você já leu?

1.2.2 *Segunda etapa: leitura da obra* A vida íntima de Laura, *de Clarice Lispector*

A primeira leitura que sugerimos é da obra *A vida íntima de Laura* (LISPECTOR, 1999), visto que foi o primeiro livro que encontramos disponibilizado na *web*, o que facilitaria o início de desenvolvimento de nossa proposição didática. Esse livro traz uma das personagens mais desafiadoras e misteriosas do universo lispectoriano, a galinha, compondo com o "ovo" muitas cenas que inspiram reflexões múltiplas. Entendemos, portanto, tratar-se de uma narrativa que traz um campo simbólico e semiótico fértil, uma vez que possibilita muitas interpretações e lança o imaginário do leitor para fora do seu cotidiano. Como ação inicial de leitura, sugerimos que o professor siga os passos elencados a seguir.

- Convide os alunos para uma leitura em voz alta.
- Anote os nomes dos candidatos e inicie a leitura, alternando as vozes na narrativa depois de duas ou três páginas da história.
- É preciso ensinar a ler para além das linhas e das palavras, ou melhor ler *de forma entrelinhar* (BOENO, 2019), desenvolvendo assim as capacidades de compreensão, apreciação e reflexão sobre o sentido do texto (verbal e não verbal).

- A leitura também pode ser feita uma vez pela voz do professor, a experimentação da escuta também é uma ação importante na formação de leitores.
- Depois da leitura da obra completa, pergunte aos alunos:
  - Que fato (quais fatos) a autora-narradora nos conta?
  - Qual o significado da expressão "vida íntima"?
  - Que assunto(s) ou fato(s) vocês perceberam da história da protagonista que pode ser visível nas relações das pessoas, no mundo dos humanos?
  - O que mais lhes chamou a atenção na história da protagonista?

Algumas outras sugestões

Antes de iniciar a leitura da obra, chame a atenção dos alunos para a leitura dos aspectos externos e de edição do livro. Peça aos alunos que verifiquem o título, o nome da escritora, analisem a ilustração e o seu autor, a composição geral da capa e da quarta capa etc. O contato do aluno com o livro *on-line* é diferente da relação com o livro impresso, certamente, mas é, igualmente, uma relação que promove a leitura. Em nosso contexto, a protagonista é a leitura e os livros impressos e *on-line* devem *conviver* nesta atualidade em que vivemos. É, por isso, bom lembrá-los de que, quando possível, é muito bom vivenciar a possibilidade de tocar o livro, de sentir sua materialidade, uma relação que também "colabora" para o desenvolvimento das habilidades socioemocionais, tão presentes nas diretrizes educacionais.

Análise do leiaute do livro (projeto gráfico)

Sugerimos a análise de dois aspectos nessa leitura. A primeira diz respeito a não paginação (edição de 1999, pela Rocco). Esse aspecto pode ser articulado ao estilo da escritora e interpretado na obra, e o professor pode indicar pistas de como construir sentidos na leitura desse aspecto não verbal na composição da história. O segundo aspecto é o do *design* (ou leiaute) da página como um todo enunciativo (o modo como a página foi composta pela linguagem verbal e não verbal), que também corresponde ao estilo da autora. Esses aspectos, em particular, motivam um bom diálogo sobre o livro e a história, antes, durante e depois da leitura da obra.

Algumas provocações ao leitor

A autora faz algumas provocações durante a narrativa, na função de narradora. Aqui, destacamos uma delas localizada na página inicial da obra, a qual transcrevemos: "Pois vou contar a vida íntima de Laura. Agora adivinhe quem é Laura. Dou-lhe um beijo na testa se você adivinhar. E duvido que você acerte! Dê três palpites" (LISPECTOR, 1999, p. 6, grifos nossos). Com essa provocação, a mediação do professor consiste em indagar e promover o diálogo entre os leitores-alunos antes de passar à próxima página. O "desafio" ("duvido que você acerte") e a "recompensa" ("dou-lhe um beijo na testa") são elementos motivadores para a participação dos alunos. Se os alunos interagiram na conversa sobre o *design* do livro (capa, título, autor, ilustração etc.) perceberam logo quem é Laura. E se não perceberem, o professor pode dar pistas para que o leitor-aluno chegue a uma resposta.

A escritura de Lispector, nesse sentido, lançando um "desafio" ao leitor e oferecendo uma "recompensa" se ele adivinhar "quem é Laura" pode ser articulada a uma escritura com elementos retirados dos jogos ou da metodologia de *gamificação* (FADEL *et al.*, 2014); princípios que atraem a conexão de crianças, adolescentes, jovens e adultos no universo digital. Esses princípios de *gamificação* na escritura literária de Clarice, nessa obra, chamam a atenção dos leitores e promovem uma interação durante o próprio ato de leitura, o que deve ser valorizada pelo professor, pois facilita e promove o desenvolvimento da interpretação e da compreensão, tornando um conteúdo complexo em algo acessível e lúdico. Clarice fala em *A vida íntima de Laura* das muitas temáticas da vida de forma indireta, um aspecto próprio da palavra literária, com detalhes muitos sutis e sensoriais na construção da narrativa.

1.2.3 Terceira etapa: leitura e produção de texto – a escrita de comentários no PadLet

Após a leitura do livro, os alunos devem retornar à página virtual, o *Clube de leitura virtual – Sala Flor-de-Lis*, e responder ao que foi solicitado por nós, uma provocação sobre o livro *A vida íntima de Laura*, de Lispector: "*Queridos alunos, assim que lerem, deixem aqui algum comentário sobre a história. Algo te chamou a atenção? Conte-me*" (BOENO, 2020).

Nessa obra de Lispector, há muitos assuntos que podem chamar a atenção dos leitores de todas as idades, tal como percebemos pelas reações-compreensões dos alunos do 7° ano do Ensino Fundamental que leram e tiveram o contato com o livro mediado por nós, na função de professora, e por meio das tecnologias digitais. Dos assuntos, podemos citar algumas reflexões possíveis, mas ressaltamos que é importante nos lembrarmos de que o universo da obra literária pode nos encaminhar, como leitores, para outras possibilidades interpretativas.

Assim, elencamos algumas temáticas que emergem da narrativa: o modo de vida da personagem em sua própria comunidade; o destaque da própria constituição e descrição da identidade da personagem e a sua relação com outros seres; o assunto da beleza externa *versus* beleza interna; uma narrativa que faz o leitor refletir sobre o valor da beleza interna em detrimento da beleza externa, que perde o sentido em se tratando de vida, de vivência e de convivência; a questão da alteridade e o respeito ao outro que é diferente de mim (no caso, diferente da personagem principal) e como agir em relação ao outro (a personagem, por exemplo, acolhe o outro, um outro que é estrangeiro). A questão do estrangeiro é um fato recorrente, sobretudo, nos tempos atuais, em que temos muitos estrangeiros chegando para morar e trabalhar no Brasil. Na história de Laura, o personagem estrangeiro, diferente da protagonista, é o Xext, habitante-anão que chegou de Júpiter. Enfim, outras questões podem ser levantadas pelos alunos e pelo professor, sempre mediador no desenvolvimento das práticas de linguagem.

Retomando a questão da provocação registrada em nosso *post* (BOENO, 2020), uma vez que os alunos já conheceram a história da Laura, o professor pode orientá-los de que não bastaria escrever nos comentários que "gostou" ou "não gostou" da personagem ou da história. O comentário não deve ser curto e assertivo; ele deve ser, por conseguinte, composto por uma ideia sobre uma passagem da história que chamou a atenção do leitor-aluno. Além disso, o professor pode ensinar os alunos a como responderem na página virtual de aprendizagem, e de como navegarem por lá, de como lerem e curtirem (ou não curtirem) cada postagem. Na ânsia de responderem, certamente alguns alunos responderão que gostaram disso ou daquilo, daí novamente vale o professor explicar que precisam desenvolver o comentário atendendo ao que foi solicitado e com a sensação, opinião a respeito de uma cena da história. Essa experimentação de elaboração de comentários por alunos pode ser visualizada em minha página virtual – *Sala Flor-de-Lis* (BOENO, 2020).

Outro detalhe importante que vale ressaltarmos é que os alunos, ao comentarem na postagem sobre o livro lido, não terão a identificação de autoria visível pelo *PadLet*, de modo que é necessário escrever o comentário e logo depois inserir o nome e turma entre parênteses. Assim o "anônimo" do sistema cria identidade e o professor pode acompanhar a participação do aluno e o seu desempenho individual.

1.2.4 Quarta etapa: leitura e produção de texto – a escrita de uma narrativa

Nessa etapa, é importante o professor pedir aos alunos que escrevam uma primeira narrativa, a qual servirá, também, como diagnóstico de como anda a escrita dos alunos em relação à norma culta. O convite à escrita não partirá do professor e sim da autora do livro lido. É mais uma provocação da autora-narradora. Dessa vez, o professor deve retomar a última página tão logo os alunos estejam lendo a parte final da história, no ponto onde se lê: "Acabou-se aqui a história de Laura e de suas aventuras. Afinal de contas, Laura tem uma vidinha muito gostosa. Se você conhece alguma história de galinha, quero saber. Ou invente uma bem boazinha e me conte" (LISPECTOR, 1999, p. 31, grifos nossos).

A ideia de uma produção de narrativa, além de servir como diagnóstico para levantamento das habilidades da escrita a serem desenvolvidas, é de que o texto servirá para fazermos uma comparação com a escrita final, depois de todas as atividades de leitura e escrita realizadas acerca dos conteúdos disponibilizados pelo professor no ambiente virtual, a exemplo dos recursos digitais alocados por nós na *Sala Flor-de-Lis*. A comparação entre o primeiro texto e o último possibilitará a evidência do que foi aprendido pelo aluno por meio das atividades planejadas e desenvolvidas.

Sobre o *design* da última página

A palavra "FIM" escrita no final da última página dá um toque de proximidade com a escrita dos alunos, no Ensino Fundamental, ao concluírem uma redação escolar. Clarice escreveu "FIM" no final da página de forma centralizada, entre a ilustração do raminho com flor e a galinha ciscando com seu filhinho. Essa ilustração tem um nível simbólico e semiótico que o professor pode explorar junto aos alunos.

Dicas sobre o *design* da última página

Sugerimos que no diálogo com os alunos, o professor possa explorar os recursos linguísticos e semióticos do texto em sua fala de orientação, vale a provocação a ponto de fazer com que os alunos reflitam sobre as penas voando na página, e comparando-as com as penas da primeira página, e destacando que as penas (nas duas páginas) apresentam sentidos e movimentos diferentes. Nesse diálogo, podem ser realizadas reflexões do tipo:

- O movimento das penas de galinha nas páginas (inicial e final) tem relação com o movimento da vida da personagem? Se você concorda que sim, diga-me em que sentido isso pode ser percebido? Ou que tipo de relação pode existir entre os fatos vividos por Laura com os fatos da vida das pessoas na realidade atual?

- A aparência da personagem (na escrita e pela imagem na ilustração) compõe um discurso de vivências. Que tipo de aventura vivenciada por Laura pode nos lembrar cenas da vida vivenciada por vocês, leitores-alunos?
- A ideia de continuidade da vida de Laura (simbolicamente constituída pela imagem de Laura e seu filho depois da palavra "FIM" colocada no meio da última linha da história) pode ser apresentada aos alunos e dialogada, uma vez que a narrativa de Lispector tem essa potencialidade de manter o diálogo com seu leitor e de ser uma *escritura audiovisual* (BOENO, 2019).

A produção de texto

O professor pode utilizar-se de uma dessas duas formas de escrita de textos: texto escrito no caderno ou texto escrito em formulário *on-line*. Depois do professor escolher uma dessas estratégias (ou oportunizar ao aluno que o mesmo faça sua escolha), ele pode solicitar aos alunos que o façam como tarefa fora de aula. Dessas estratégias de escrita, temos a sugerir:

TEXTO ESCRITO NO CADERNO: nessa opção, o aluno deverá escrever seu texto iniciando pela identificação (inserindo o nome da escola, nome do aluno completo, turma e data da tarefa). Em seguida, deverá tirar foto da narrativa e encaminhar pelo grupo de comunicação (*WhatsApp, Telegram,* plataforma utilizada pelo professor ou *e-mail*).

Uma outra sugestão de envio dos textos escritos em caderno, e que devem ser encaminhados em imagem ao professor para análise, é a de que o professor encaminhe um *link* reduzido do álbum da *Atividade de Escrita* criada no *Google Fotos*. Assim, pensamos ser mais prático e atrativo para os alunos, ao receberem o *link* reduzido e personalizado da atividade. Como fazer o *link* reduzido para a postagem das atividades de escrita? O professor pode criar uma conta gratuita no *Bitly* (*https://bitly.com/*) inicialmente; depois criar o álbum no *Google Fotos* e, só então, passa-se à criação do *link* personalizado, o qual será compartilhado com a turma.

TEXTO ESCRITO EM MEIO DIGITAL: o aluno escreverá seu texto inicialmente em um caderno, com a notação de identificação (escola, nome, turma e data), depois transcreverá em uma ferramenta digital *Google Docs, Word, bloco de notas, Power Point, mensagem de texto* pelo grupo de comunicação (*Telegram, WhatsApp, e-mail*).

Outra possibilidade de se realizar a atividade de forma digital é o professor criar um formulário no *forms.google.com* (Formulários Google), disponibilizando aos alunos o *link*. Importante ressaltar que o aluno precisa escrever o texto inicialmente no caderno e, depois, transcrevê-lo no formulário *on-line*. Outra vantagem desse formulário é que o professor pode acompanhar o recebimento dos textos eletronicamente e montar com mais praticidade o portfólio de cada aluno, além de tê-los para verificação de aprendizagem também.

As atividades de escrita, de leitura e de literatura perpassam as tecnologias digitais aqui já citadas e o aluno é o protagonista dessas atividades mediadas pelo professor, sem dispensar o uso das tecnologias lápis, caneta e caderno. Além disso, durante a aula remota, o professor pode orientar o aluno a realizar anotações sobre os aspectos interessantes do que foi abordado, discutidas as informações e os conceitos. Registrar também é fundamental nos estudos.

1.2.5 Quinta etapa: a reescrita do texto

Essa etapa é muito importante, pois é o momento da revisão e da reescrita do texto produzido anteriormente. Em aula remota, o professor pode iniciar essa etapa apresentando em *Power Point* um outro texto que contenham trechos confusos em termos do uso da língua padrão. Assim, desafia os alunos a pensarem com o professor em como melhorar esse texto. As perguntas podem ser: Que sugestão vocês dariam a quem o escreveu? O que fazer para que a escrita fique mais interessante e adequada ao gênero textual e à linguagem verbal da norma padrão? Essas questões norteiam a aula dialogada e o texto vai sendo aprimorado e discutido por meio dos microfones ou em *chat*, via plataforma de aula remota utilizada pelo professor. Desse modo, o professor vai ajudando a turma a perceber os problemas linguísticos do texto.

Depois dessa atividade, o professor deve entregar o texto individual para que o aluno faça sua própria revisão. Para isso, é interessante preparar um roteiro sobre o que o aluno deve observar. A título de contribuição e para novas elaborações, sugerimos a leitura do roteiro de revisão elaborado no *Caderno Pedagógico de Memórias Literárias* (CLARA; ALTENFELDER, 2008), disponível na *web*. O roteiro de revisão específico para a turma deve conclamar, especialmente, a observância da grafia das palavras, das concordâncias, das regências, das notações importantes para a escrita e dos aspectos da narrativa (voz do narrador em primeira ou terceira pessoa, personagens, tempo e espaço etc.). Tais habilidades foram selecionadas nessa proposta didática e estão relacionadas nos eixos de "Produção de texto" e de "Análise linguística e semiótica" (Quadro 1). Depois de elaborado, o roteiro pode ser compartilhado em tela, na aula remota e, caso necessário, ser encaminhado para o aluno via *e-mail*, *WhatsApp* ou *Telegram*.

Ao final da atividade de revisão, reorganizando ou acrescentando ideias, corrigindo palavras, mudando pontuação etc., o aluno passará o texto a limpo e o enviará ao professor, em uma das modalidades sugeridas anteriormente: texto escrito no caderno ou escrito em meio digital, para nova avaliação da aprendizagem.

1.2.6 Sexta etapa: a publicação dos textos

Quem produz um texto quer vê-lo sendo lido por alguém. Dessa forma, para esta etapa, o professor pode preparar um *Blog* ou uma página no *PadLet* ou mesmo utilizar o espaço já criado para disponibilizar os conteúdos digitais para a publicização dos textos produzidos pelos alunos. Divulgados os textos em meio digital, a página virtual com a produção final de todos os alunos poderá ser visitada por eles e seus familiares. Em um outro momento, o professor poderá organizar um evento de apresentação dos textos produzidos com a leitura dos próprios alunos-autores. A leitura poderá ser realizada ao vivo no evento (via *Google Meets* ou *Zoom*, por exemplo), leitura via produção de *podcast*, ou leitura via produção de vídeo, conforme a identificação do aluno com essas formas de leitura e desejos pessoais (alguns alunos mais tímidos optam – ou não – pelas ferramentas que não expõem suas faces, apenas a voz; é o que temos observado nas aulas remotas).

As atividades dessa etapa valorizam a conquista dos alunos e se configuraria como uma nova homenagem à escritora Clarice Lispector.

1.2.7 Sétima etapa: encaminhamentos, orientações e atividade on-line

A navegação pelo *Clube de leitura virtual – Sala Flor-de-Lis* deve ser orientada, especialmente, como tarefa de casa, em procedimento de sala de aula invertida. Assim, o aluno já orientado construirá o seu percurso de leitura, curtindo os *links* (ou não) e construindo novos conhecimentos, o que viabiliza a ampliação de suas reflexões e de pesquisa.

Para motivar a participação dos alunos, sugerimos a criação de um convite digital (no *Formulários Google*) e, nesse documento, lançar questões que servirão como levantamento do perfil leitor dos alunos. Nossa sugestão de convite-diagnóstico de leitura pode ser visualizada na imagem a seguir (Figura 3):

FIGURA 3 – Leiaute do convite

Convite para participar do "Clube de Leitura Flor-de-Lis" coordenado pela Profa. Dra. Neiva Boeno

Neste clube, o membro participante fará leituras prévias de textos na página do PadLet indicada pela professora responsável, participará de reuniões (previamente marcadas e acordadas entre os membros participantes) para uma conversa sobre o(s) livro(s) lido(s) (sugeridos no PadLet), responderá um *quiz* sobre as leituras realizadas, escreverá on-line suas histórias, poderá gravar em podcast suas histórias (compartilhar histórias é o máximo) etc. Além disso, cada membro participante poderá contribuir com sugestões de outras formas de atividades interessantes de leitura e de escrita.

*Obrigatório

Qual é o seu nome completo? Qual é a sua turma? *

Sua resposta

Você quer participar de nosso "Clube de leitura"? *

- ◯ Sim, quero participar.
- ◯ Não quero participar.

Qual é a data, mês e ano do seu nascimento? *

Sua resposta

Que tipo de texto você gosta de ler? (Pode marcar mais de uma opção) *
Marque os tipos de textos que você lê ou já leu:

- ☐ Gibis ou História em Quadrinhos
- ☐ Livros de Literatura como contos, romances, poesia, crônicas
- ☐ Livros didáticos indicados pela escola
- ☐ Revistas, jornais
- ☐ Livros de autoajuda
- ☐ Bíblia, textos religiosos
- ☐ Enciclopédias, dicionários
- ☐ Livros técnicos para formação profissional
- ☐ Culinário, artesanato, "como fazer"
- ☐ Línguas (inglês, italiano, espanhol ...)
- ☐ Saúde e dietas
- ☐ Viagem e esportes
- ☐ Ciências
- ☐ Outros

Quantos livros você leu neste ano de 2020?

- ◯ um livro
- ◯ dois a quatro livros
- ◯ cinco a sete livros
- ◯ oito a dez livros
- ◯ mais de onze livros

Enviar — Limpar formulário

Nunca envie senhas pelo Formulários Google.

Este conteúdo não foi criado nem aprovado pelo Google. Denunciar abuso - Termos de Serviço - Política de Privacidade

FONTE: Convite elaborado por Neiva de Souza Boeno (2020).

ATIVIDADE DE VERIFICAÇÃO FINAL DE APRENDIZAGEM

Segundo os PCNs, "um aspecto relevante nos jogos é o desafio genuíno que eles provocam no aluno, que gera interesse e prazer" (BRASIL, 1997, p. 36). Recuperando essa noção e aliando-a à estratégia de *gamificação*, sugerimos que o professor utilize as ferramentas digitais para criar questões com o objetivo de verificar a aprendizagem do aluno, seja em relação aos conteúdos midiáticos disponibilizados no ambiente virtual criado por ele seja em relação aos conteúdos disponíveis na *Sala Flor-de-Lis,* a qual compartilho com os colegas professores por meio deste texto.

Indicamos uma atividade, com prazo de duas semanas para ser respondida, criada no *Kahoot!* (https://kahoot.com/), um aplicativo de *quizzes*. Nele, o professor pode elaborar as questões de múltipla escolha sobre as temáticas estudadas na proposição didática sobre a leitura das cinco obras de Clarice Lispector e conteúdos digitais da *Sala Flor-de-Lis*; pode, também, inserir fotos, músicas, áudios, vídeos.

Em nossa experiência, criamos seis questões sobre Clarice Lispector para verificação de aprendizagem, com princípios de *gamificação*, utilizando o *Kahoot!*, como afirmamos acima. Dessas questões criadas por nós, apresentamos uma delas (Figura 4), aquela que diz respeito à obra *A vida íntima de Laura*, por se tratar do livro de Clarice, o qual temos tratado com afinco nesta nossa proposição didática; almejamos que a questão em imagem, a seguir, possa suscitar, aos professores, outras e belas questões.

FIGURA 4 – Leiaute de uma das questões no *Kahoot!*

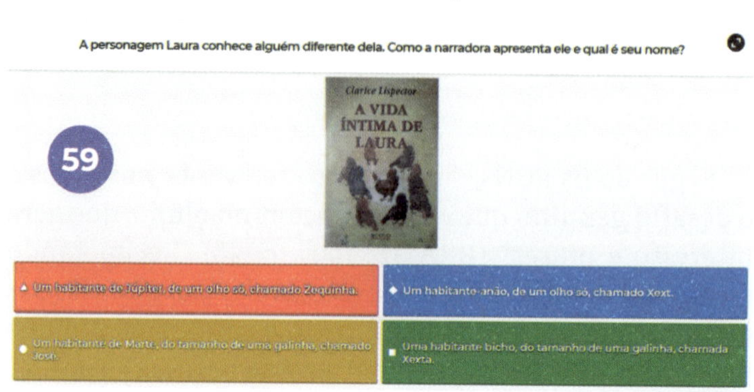

FONTE: Atividade elaborada por Neiva de Souza Boeno (BOENO, 2020).

CONSIDERAÇÕES FINAIS

Leitores-escritores é o que precisamos constituir, *vermos nascer* na esfera escolar para que atuem, no presente e no futuro, em várias esferas da sociedade. Os livros (impressos e digitais) são nossos portais para novos conhecimentos e os de literatura, especificamente, por sua escritura, transportam-nos para outros reinos, os da imaginação e da criatividade. Justamente por isso, podemos dizer que ampliar o repertório de conhecimento e de leitura de nossos alunos é um bem incomensurável.

A riqueza da leitura de bons textos literários reside, essencialmente, na multiplicidade e na heterogeneidade de bons pensamentos, atitudes e razoabilidade.

Concluímos desejosos de que nossa proposta didática, que tem como objetivo principal formar leitores-escritores de textos literários por meio de tecnologias digitais (com práticas metodológicas de sala de aula invertida e gamificação), possa estimular, motivar e inspirar novas propostas de ensino de Língua Portuguesa e de Literatura.

REFERÊNCIAS

ARENDT, Hannah. A crise na educação. *In*: ARENDT, H. *Entre o passado e o futuro*. Tradução de Mauro W. B. Almeida. 2. ed. São Paulo: Perspectiva, 1979. p. 221-247.

BAKHTIN, M. M. *Estética da criação verbal*. Tradução de Paulo Bezerra. 6. ed. São Paulo: WMF Martins Fontes, 2011.

BARTHES, Roland. *O rumor da língua. Tradução de Mario Laranjeira*. Prefácio Leyla Perrone-Moisés. Revisão de tradução Andréa Stahel M. da Silva. 2. ed. São Paulo: Martins Fontes, 2004.

BERGMANN, J. Entrevista a Ricardo Lacerda com o título "Jon Bergmann explica o conceito de sala de aula invertida", 2018. Disponível em: https://desafiosdaeducacao.grupoa.com.br/jon-bergmann-e-a-sala-de-aula-invertida/. Acesso: 08 ago. 2020.

BERGMANN, J.; SAMS, A. *Sala de aula invertida: uma metodologia ativa de aprendizagem*. Rio de Janeiro: LTC, 2016.

BOENO, Neiva de Souza. *Cronótopo, diálogo e afiguração no romance Água Viva de Clarice Lispector*. Tese (Doutorado em Estudos de Linguagem) – Instituto de Linguagens, Universidade Federal de Mato Grosso, Cuiabá, 2019.

_______. *Sala Flor-de-Lis*. Disponível em: https://bit.ly/LiteraturaProfaNeivaBoeno. Acesso em: 10 ago. 2020.

_______. *Atividade Inicial de Leitura*. Disponível em: http://bit.ly/AtividadeInicialLeitura. Acesso em: 10 ago. 2020.

_______. Atividade 1 de Escrita – Álbum no Google Fotos. Disponível em: http://bit.ly/Atividade2deEscritaLP. Acesso em: 15 ago. 2020.

_______. Atividade 1 de Escrita – *Formulários Google*. Disponível em: http://bit.ly/Atividade1deEscrita. Acesso em: 16 ago. 2020.

_______. Convite para Clube de Leitura Profa. Neiva Boeno. Disponível em: https://bit.ly/ConviteParaClubedeLeituraProfaNeivaBoeno. Acesso em: 10 ago. 2020.

BRASIL. Secretaria de Educação Fundamental. *Parâmetros curriculares nacionais*: Matemática. Brasília: MEC/SEF, 1997.

BRASIL. *Base Nacional Comum Curricular*. Brasília, DF, 2018. Disponível em: http://basenacionalcomum.mec.gov.br/. Acesso em: 07 ago. 2020.

CANDIDO, Antonio. O direito à literatura. *In:* CANDIDO, Antonio. *Vários escritos*. 3. ed. São Paulo: Duas Cidades, 2011. p. 171-193.

CLARA, Regina Andrade; ALTENFELDER, Anna Helena. *Se bem me lembro...* São Paulo: CENPEC, Fundação Itaú Social. Brasília – DF: MEC, 2008.

FADEL, Luciane Maria; ULBRICHT, Vania Ribas; BATISTA, Claudia Regina; VANZIN, Tarcísio (Org.) *Gamificação na Educação*. São Paulo: Pimenta Cultural, 2014.

LISPECTOR, Clarice. *A vida íntima de Laura*. Ilustrações de Flor Opazo. Rio de Janeiro: Rocco, 1999.

PONZIO, Luciano. *Visões do Texto*. Tradução de Mary Elizabeth Cerutti-Rizzatti e Giorgia Brazzarola. Organização de Neiva de Souza Boeno. São Carlos: Pedro & João Editores, 2017.

UNIVERSIDADE FEDERAL DE SÃO CARLOS. Secretaria Geral de Educação a Distância (SEAD). *Tutorial Padlet: criando murais*. São Carlos, SP: INOVAEH; UFSCar, 2018. Disponível em: https://inovaeh.sead.ufscar.br/wp-content/uploads/2019/04/Tutorial-Padlet.pdf. Acesso em: 09 ago. 2020.

PRÁTICAS DE LEITURA E ESCRITA DE FÁBULAS SOB A PERSPECTIVA INTERTEXTUAL E O USO DE NOVAS TECNOLOGIAS

Valeria Cristina de Abreu Vale Caetano

INTRODUÇÃO

A formação do leitor constitui um desafio constantemente enfrentado por muitos docentes no século XXI, século do consumismo desenfreado e do aparato tecnológico. Este capítulo tem como objetivo demonstrar que a realização de um trabalho de leitura e de escrita com fábulas sob a perspectiva intertextual, resulta no desenvolvimento de habilidade de escrita dos alunos do sexto ano de escolaridade do Ensino Fundamental. Para tanto, propõem-se estratégias didáticas, aliadas ao uso de tecnologias. O trabalho de leitura e de interpretação de diversas fábulas realizado por meio de sequências didáticas intertextuais ao longo de um trimestre de aulas de Língua Portuguesa, no sexto ano de escolaridade do Colégio Pedro II, buscou analisar a capacidade de inferência e de compreensão global desses textos por parte dos alunos.

Baseia-se em uma metodologia de trabalho com produção textual na perspectiva sociointerativa, concebida por Bakhtin (2011), a qual defende que não existe um discurso que já não seja, constitutivamente, permeado de alguma forma por outro dizer. Para a Linguística Textual, o texto é lugar de interação de sujeitos sociais, os quais, dialogicamente, nele se constituem e são constituídos. Em todo texto, há uma gama de implícitos, detectáveis através da mobilização do contexto sociocognitivo no qual se movem os atores sociais.

As atividades propõem uma estreita relação entre leitura de fábulas e produção escrita, a partir da concepção de intertextualidade, comprovando que o estímulo constante alimenta o desenvolvimento da proficiência de escrita. Postula-se que o trabalho de leitura de gêneros diferentes possibilita o estabelecimento da intertextualidade e que esse procedimento leva os alunos a produzirem textos com nível mais alto de informatividade e argumentatividade. Esta prática envolve alguns aspectos relacionados ao trabalho com o texto que funcionaram como suportes intertextuais e que serviram de estímulo para as produções escritas.

O trabalho justifica-se pelo fato de que as fábulas populares de Esopo e de La Fontaine, também recontadas por outros autores, como Monteiro Lobato, são recursos produtivos para se trabalhar a intertextualidade, visto que o ensinamento, o final moralizante, assim como a linguagem proverbial são vistos como caráter persuasivo, estratégia desejável num texto que objetiva convencer o seu destinatário e, também, pelo fato de o repertório das fábulas atravessarem séculos de enunciação coletiva, numa demonstração clara da mais global intertextualidade. É curioso que tenham permanecido durante séculos, não tendo perecido no século XXI, o século da tecnologia, de vinte e quatro horas de entretenimento.

As fábulas constituem um instrumento relevante para o desenvolvimento das habilidades cognitivas de leitura, servindo como recurso pedagógico enriquecedor, facilitador e motivador para o processamento da construção de sentidos do texto. Os poderes de persuasão e de convencimento estão presentes nas fábulas através do fundo moralizante que age diretamente sobre o interlocutor, uma vez que as palavras são selecionadas intencionalmente pelo autor do texto para evocar os sentimentos, comportamentos e atitudes. A fábula é um gênero textual que permite o manuseio da linguagem de forma criativa, persuasiva, com objetivo de convencer, conformar, muitas vezes evidenciando o cruzamento de vozes e discursos por meio dos recursos da intertextualidade. Assim, as intenções do autor ganham força em detalhes para que as leituras e os discursos intentados sejam eficazmente apreendidos com o objetivo de determinar um comportamento.

ORGANIZAÇÃO DAS AULAS

A organização das aulas incluiu atividades de leitura de diferentes fábulas sob a perspectiva intertextual, interpretação e produção de texto. O trabalho de leitura sob a perspectiva intertextual em sala de aula propiciou aos alunos o contato continuado com uma variedade de textos, especialmente fábulas, o que permitiu a abordagem de uma diversidade de conteúdos e enfoques indispensáveis para a formação de leitores críticos, favorecendo o desenvolvimento da argumentatividade, expressão de ideias e opiniões dos alunos acerca de temas existenciais relacionados à ética e a valores humanos. Assim sendo, há o "adentramento" crítico dos temas propostos pelos textos. A título de ilustração, a seguir, será apresentada uma destas aulas.

Título da aula: "Roda de Leitura"

Textos estudados: Fábulas de Esopo e de La Fontaine recontadas por Monteiro Lobato.

O trabalho de avaliação de leitura do livro *Fábulas* de Monteiro Lobato envolveu a realização de uma Roda de Leitura. Após um prazo previamente combinado, foi promovida uma Roda de Leitura sobre as fábulas do livro intitulado *Fábulas – Monteiro Lobato* da Editora Globo (2010), adotado para a realização do trabalho sistemático de leitura com o texto literário no 2º trimestre. Cada aluno deveria escolher uma fábula do livro para ser lida ou contada por ele para os demais colegas da turma. Foi solicitado aos alunos que fizessem uma "apreciação" oralmente das fábulas que eles próprios leram. Os alunos construíram um sentido para o texto lido e posicionaram-se em relação ao que leram. A proposta de redação foi a reescrita de uma fábula do livro.

Esta prática de leitura e de escrita sob a perspectiva intertextual favorece a formação de leitores críticos que não reagem passivamente diante do que leem, mas que argumentam e opinam sobre os diversos temas apresentados nas histórias. Com base na concepção interacional e dialógica de construção de sentidos preconizada pela Linguística Textual e adotada neste capítulo, o leitor não deve apenas se restringir a compreender o que o autor do texto quis dizer: ele faz inferências, observa as "entrelinhas", percebe as intenções do autor e a estrutura do texto. O ato de leitura é uma atividade interativa na qual se estabelece a interação entre o texto e o leitor, e, portanto, significa mais do que decodificação do código linguístico. O leitor traz sua experiência de mundo para o texto lido, fazendo com que as palavras impressas tenham um significado que vai além do que foi escrito. Na atividade de leitura e de produção de sentido, o leitor coloca em ação várias estratégias sociocognitivas por meio das quais se realiza o processamento textual: seu conhecimento linguístico, enciclopédico (de mundo), textual e intertextual, que constitui o foco deste trabalho.

As atividades de leitura e de escrita do trabalho com fábulas na perspectiva intertextual estão interligadas e se complementam. As histórias não se esgotam quando são lidas ou ouvidas. Pelo contrário, é a partir daí que permanecem na imaginação dos leitores/ouvintes. Logo, acredita-se, neste estudo, que a atividade de produção escrita deva ser precedida do ato de narrar, debater, argumentar sobre o tema desenvolvido na aula. A escrita é uma atividade de criação que está intimamente relacionada às experiências e às crenças de cada um, ou seja, de um mesmo assunto podem-se ter várias leituras diferentes, dependendo da ideologia, da condição social e das experiências de vida do autor ou produtor do texto. Considero necessário ressaltar a importância do comprometimento de todas as disciplinas escolares na construção da visão de mundo dos alunos, através de textos que os professores adotam em suas aulas.

Quanto às disciplinas do Colégio Pedro II que integram o currículo escolar do sexto ano além de Língua Portuguesa, Matemática, Ciências, História e Geografia, também faz parte dos componentes curriculares a Informática. A integração entre as disciplinas do currículo é fundamental. Ao exercer a coordenação de série do sexto ano no Colégio Pedro II, tive como principal atribuição assegurar que essa integração ocorresse efetivamente. É importante ressaltar a necessidade de integração entre as disciplinas escolares. Afinal, não cabe apenas ao professor de Língua Portuguesa a tarefa de coletar textos que ofereçam bons subsídios à produção de textos de seus alunos, mas a todo o corpo docente, o qual conjuntamente também é responsável pela construção do ideário dos alunos. O trabalho de produção de textos é uma atividade interdisciplinar que, na escola deve ser desenvolvida por professores de todas as disciplinas, inclusive de Informática, pois o uso competente dos textos que os alunos leem no seu cotidiano escolar não é fruto exclusivo do trabalho realizado pelo profissional de Língua Portuguesa, mas por todos que estão envolvidos no processo de aprendizagem dos alunos. O uso da tecnologia por meio da parceria com a Informática foi efetivamente crucial para a realização deste trabalho de leitura e escrita sob a perspectiva intertextual.

Desta forma, é importante ressaltar a relevante contribuição do uso da tecnologia para o processo ensino-aprendizagem. Dentro da perspectiva de que desenvolver estratégias para melhorar o ensino-aprendizagem e a qualidade do ensino é latente, imediata, é necessária a elaboração de aulas e de materiais didáticos mais atrativos e adaptados à nova geração de estudantes. Estes, mais conectados do que nunca, nos desafiam em busca de novas ferramentas.

Para Richard E. Mayer (2001), autor da Teoria Cognitiva da Aprendizagem Multimídia (TCAM), hoje, na era dos nativos digitais, aprende-se de modo diferente e, por isso defende o princípio multimídia na contribuição para a aprendizagem mais profunda e significativa do aluno, que envolve a interseção da cognição, instrução e tecnologia, na qual a informação é processada por meio de canais: o verbal e o visual. Assim, segundo Mayer (2001) para qualificar os espaços escolares como essenciais na inclusão das tecnologias da informação e comunicação (TIC), é preciso torná-los focos potencializadores da aprendizagem e da comunicação para que sejam capazes de instigar os alunos a serem mais criativos, perceptivos, dinâmicos e reflexivos, tendo em vista a expansão tecnológica.

Neste trabalho de leitura de fábulas com enfoque intertextual, apliquei para o desenvolvimento de atividades de leitura e de escrita sequências didáticas intertextuais aliadas ao uso da tecnologia. A seguir, serão apresentados, detalhadamente, os procedimentos metodológicos adotados.

PROCEDIMENTOS METODOLÓGICOS

A metodologia aplicada em sala de aula foi baseada em uma prática de leitura e de interpretação de diversas fábulas sob a perspectiva intertextual, realizada por meio de sequências didáticas intertextuais em que foram apresentados aos alunos textos do gênero Fábulas, a fim de se verificar a percepção do uso ou aplicação do recurso intertextualidade nas produções escritas dos alunos. Busquei com esse trabalho de leitura de fábulas e provérbios sob a perspectiva intertextual, analisar a capacidade de inferência e de compreensão global desses textos por parte dos alunos.

Entende-se por sequências didáticas o "conjunto de atividades escolares organizadas de uma maneira sistemática, em torno de um gênero textual oral ou escrito". (DOLZ & SCHNEUWLY, 2013, p. 97). As sequências didáticas intertextuais incluíram as seguintes etapas: sensibilização, apresentação do texto-base, sistematização, complementação e proposta de redação.

Ao organizar as aulas em sequências didáticas intertextuais, foram explorados junto aos alunos diversos textos, levantando as características próprias das fábulas com o objetivo de levá-los a praticar diferentes aspectos da escrita antes de propor uma produção escrita final. A seguir estão os procedimentos metodológicos adotados para a realização das sequências didáticas intertextuais.

A apresentação da proposta de trabalho de leitura de fábulas e provérbios sob a perspectiva intertextual consistiu nas seguintes etapas: apresentação, planejamento e organização das atividades junto com os alunos e combinação das regras – "Contrato Didático" – envolvendo, inclusive, a realização da *"roda de leitura"*, do trabalho de leitura com o livro *Fábulas – Monteiro Lobato* – São Paulo: Globo 2010 (p. 96). A edição deste livro teve como base a publicação das *Obras Completas de Monteiro Lobato* da Editora Brasiliense de 1964.

Julguei importante informar previamente aos alunos sobre o tempo destinado para o desenvolvimento do trabalho e o que ele demandaria: pesquisas na biblioteca (levantamento de bibliografia), pesquisa na internet sobre o gênero Fábula, produções escritas etc. e como seria a culminância do trabalho, isto é, a apresentação das fábulas pelos alunos de diversas formas (livro, histórias em quadrinhos, poesias). Nesta etapa, foi imprescindível a ida dos alunos ao laboratório. O trabalho integrado com o professor de Informática e o uso da tecnologia foram de valiosa contribuição. A importância do uso da tecnologia e as aulas em parceria com a Informática foram efetivamente cruciais. A realização do trabalho, a partir do conhecimento prévio dos alunos sobre Fábulas, ocorreu por meio da avaliação do conhecimento prévio dos alunos sobre o gênero, na comparação de textos de gêneros diferentes, a fim de investigar o que os alunos já sabiam sobre o gênero Fábula a ser trabalhado.

Em seguida, houve a apresentação da 1ª proposta de produção escrita com base no trabalho de leitura de fábulas sob a perspectiva intertextual. Nesta proposta, os alunos escreveram um texto inicial do gênero que consistia na reescrita da fábula *Segredo de Mulher*, de Monteiro Lobato que funcionou como suporte intertextual. Foi realizada uma espécie de paráfrase do texto original, isto é, da fábula. Após a apresentação da 1ª proposta, houve a sistematização do conhecimento sobre o gênero Fábula, por meio do estudo detalhado de seus elementos, de sua situação de produção e da forma como esse gênero circula (no livro, no jornal, por exemplo).

A realização da produção escrita individual final pretendeu verificar se, por meio do desenvolvimento das sequências didáticas intertextuais, os alunos alcançaram progressos significativos na escrita. Após a leitura das duas versões da Fábula *A Cigarra e a Formiga*, recontada por Monteiro Lobato, sob as perspectivas da formiga boa e da formiga má, os alunos debateram sobre as duas posições, bem como sobre a moral da história que questiona a ideologia dominante que parte da premissa de que os artistas e a arte propriamente dita, fazem parte de um mundo alheio à realidade circundante. A proposta de produção escrita consistiu na criação de um novo desfecho, de um final mediador que conciliasse os pares aparentemente antagônicos: lazer e prazer (a cantoria da cigarra) x esforço (trabalho da formiga), pois tanto um quanto o outro fazem parte da vida de todos nós. Esta prática de leitura e escrita foi imprescindível para a formação da competência comunicativa dos alunos.

CULMINÂNCIA DO TRABALHO DE LEITURA SOB A PERSPECTIVA INTERTEXTUAL

Os alunos foram estimulados a realizarem a atividade de produção escrita na culminância do trabalho de leitura sob a perspectiva intertextual com fábulas. A proposta consistiu na escolha de uma fábula do livro *Fábulas*, de Monteiro Lobato, para ser recontada por eles através de diferentes linguagens. Para a realização desta proposta de escrita, exigiu-se do aluno/leitor não só a compreensão literal e o levantamento direto de elementos do texto, mas, sobretudo, exigiu-se maior processamento cognitivo, como fazer as inferências necessárias à compreensão da fábula. Após um prazo determinado com antecedência, foi realizada a atividade de produção dos alunos que resultou na avaliação do trabalho de leitura do 2º trimestre com fábulas. Primeiramente, cada aluno previamente escolheu uma fábula para ser recontada de diversas formas e/ou por diferentes linguagens, conforme sua preferência: livro, imagens sem texto, histórias em quadrinhos, poesias, tirinhas, dramatização. Esta etapa foi realizada de forma interdisciplinar, em parceria com o professor de Informática, exercendo uma contribuição valiosa. Os alunos, com o uso da tecnologia, se apropriaram dos recursos tecnológicos e digitais ao elaborar o material para a apresentação dos trabalhos. Os estudantes digitaram os textos nas aulas de Informática, planejaram um esquema narrativo nas aulas de Língua Portuguesa para a produção de um vídeo (audiovisual), a fim de registrar as apresentações para compartilhá-lo com uma audiência mais ampla na escola, na comunidade escolar.

Os professores, ao trabalharem com o universo da produção audiovisual digital, podem durante seus projetos educativos, aproveitar os conhecimentos dos alunos em relação à internet. Vários possuem contas no *YouTube*. Os estudantes, muitas vezes, possuem conhecimentos intuitivos, ligados às suas experiências e práticas. O professor pode aprender com eles e fazer com que reconheçam e exteriorizem esses saberes, ensinando também aos colegas. Enfim, ao produzir um audiovisual (vídeo) em contexto pedagógico, é importante ter em mente que o processo é mais relevante que o produto, e, ainda que sejam ensinadas competências quanto à operação dos equipamentos, o objetivo não é formar um técnico em audiovisual. Sem dúvida, a tecnologia está a serviço do processo ensino-aprendizagem.

CONSIDERAÇÕES FINAIS

Indubitavelmente, o ensino de gêneros exerce uma influência fundamental nas escolhas intertextuais dos alunos. Os estudantes utilizaram os conhecimentos adquiridos nas aulas de outras disciplinas, especialmente de Informática. É importante reconhecer a relevante contribuição da tecnologia para o processo ensino-aprendizagem. O uso da tecnologia por meio da parceria com a Informática foi efetivamente crucial para a realização e para a culminância deste trabalho de leitura e escrita sob a perspectiva intertextual.

Os alunos, por meio do uso da tecnologia, se apropriaram dos recursos tecnológicos e digitais. Sem dúvida, esses recursos contribuíram para o desenvolvimento de estratégias para enriquecer a qualidade das aulas de Língua Portuguesa com ferramentas mais atrativas e adaptadas aos estudantes do século XXI, mais conectados do que nunca e que nos desafiam em busca de novas tecnologias.

As relações construídas entre os textos (intertextualidade) evidenciaram o conhecimento que os alunos tinham sobre os gêneros e que é inegável a indissociabilidade das atividades de leitura e escrita. Por meio desta prática de leitura e escrita sob a perspectiva intertextual na aula de Língua Portuguesa, o aluno passou a compreender que a intertextualidade é uma das estratégias utilizadas para a construção de um texto. A intertextualidade deve fazer parte do planejamento do professor de

Língua Portuguesa, pois, afinal, cabe a ele levar o aluno-leitor a produzir textos empregando esse recurso. Segundo Koch & Elias (2008, p.86):

> A intertextualidade é elemento constituinte e constitutivo do processo de escrita/leitura e compreende as diversas maneiras pelas quais a produção/recepção de um texto depende de conhecimentos de outros textos por parte de interlocutores, ou seja, dos diversos tipos de relações que um texto mantém com outros textos.

Em suma, espera-se que este capítulo sirva de contribuição para ressaltar a importância desta prática de leitura e produção escrita sob a perspectiva intertextual aliada ao uso da tecnologia e que possa ser útil aos estudos futuros acerca do ensino de Língua Portuguesa. Essa estratégia didática de leitura e de escrita de fábulas sob a perspectiva intertextual, aliada ao uso da tecnologia, favoreceu o surgimento de novos procedimentos para o ensino de Língua Portuguesa, contribuindo, sobremaneira, para o desenvolvimento da competência discursiva dos estudantes.

REFERÊNCIAS

BAKHTIN, M. M. *Estética da Criação Verbal*. 6ª edição. São Paulo: Martins Fontes, 2011.

CAETANO, Valeria Cristina de Abreu Vale. *Intertextualidade: uma contribuição para o ensino de produção escrita*. Tese de Doutorado em Língua Portuguesa/UERJ, 2014.

_______. *A Construção do Sujeito através da Literatura*. Dissertação de Mestrado em Literatura Brasileira/UERJ, 1995.

______. "A Produção do Texto na escola de 1º grau". In: *Série Didática da Linguagem – Projeto de Ensino Individualizado.* Fundação Brasileira de Educação – Centro Educacional de Niterói, 1994.

______. "Leitura de fábulas sob a perspectiva intertextual com alunos do 6º ano do Ensino Fundamental do Colégio Pedro II". *In*: VIEGAS, Ana Cristina (Orgs.). *A literatura, o ensino e o jovem no século XXI.* Rio de Janeiro: Oficina Raquel, 2016. p. 125-138.

______. "Práticas de leitura sob a perspectiva intertextual com alunos do 6º ano do Colégio Pedro II". *In:* VIEIRA, Edite Resende; MARTINS, M.; SANTORO, Marco; NEVES, Rogerio (Orgs.). *O novo velho Colégio Pedro II. Inovações Pedagógicas.* Vol. 4. Rio de Janeiro: Colégio Pedro II, 2017. p. 41-54.

KOCH, Ingedore G.V.; ELIAS, Vanda Maria. *Ler e compreender: os sentidos do texto.* São Paulo: Contexto, 2008.

MAYER, Richard. *Multimedia Learning.* Cambridge: Cambridge University Press, 2001.

MONTEIRO LOBATO, José Bento. *Fábulas.* São Paulo: Editora Globo, 2010.

NEVES, Iara Conceição Bitencourt; SOUZA, Jusamara Vieira; SCHÄFFER, Neiva Otero; GUEDES, Paulo Coimbra; Klüsener, Renita (Orgs.). *Ler e escrever: compromisso de todas as áreas.* 3.ed. Porto Alegre: Ed. da Universidade Federal do Rio Grande do Sul, 2011.

SCHEUWLY, Bernard. *"Gêneros e tipos de discurso: considerações psicológicas e ontogenéticas". In:* SCHEUWLY, Bernard; DOLZ, Joaquim. ROJO, Roxane; CORDEIRO, Glaís Sales (Trad.). *Gêneros orais e escritos na escola.* Campinas, S.P. Mercado das Letras, 2013.

OS AUTORES

Ana Carolina Conceição Mattos Nascimento Nóbrega

Mestranda em Língua Portuguesa pela Universidade do Estado do Rio de Janeiro (UERJ), atua na Educação Básica nas redes públicas e privada do Rio de Janeiro como professora de Língua Portuguesa. Professora do Colégio Santo Agostinho. *E-mail*: ana.prof.lp@gmail.com

Angélica de Oliveira Castilho Pereira

Doutorado e Mestrado em Literatura Brasileira pela Universidade Federal do Rio de Janeiro (UFRJ). Atualmente, faz parte do quadro de docentes do Colégio de Aplicação da Universidade do Estado do Rio de Janeiro (CAp-UERJ) como professora adjunta na Educação Básica e na Graduação, coordenadora de estágio e membro do projeto de extensão *Jornal na Escola*. É coautora dos livros *Depois do fim: vida, amor e morte nas canções da Legião Urbana* e *Quebrando mitos: como elaborar e corrigir provas e trabalhos acadêmicos*, é autora do livro *Literatura comparada: movimentos contemporâneos*. Participa dos grupos de pesquisa Linguagem e Educaçao: Ensino e Ciência (LEDEN), do CAp-UERJ, sobre linguagens, transdisciplinaridade, tecnologia e ensino; e IN.TE.GRA (UERJ/UFF), sobre produção oral e escrita, leitura, teoria e descrição gramatical da Língua Portuguesa. *E-mail*: aocastilho@gmail.com

Cristina Normandia dos Santos

Doutora em Língua Portuguesa pela UERJ. Estágio em pós-doutorado em Língua Portuguesa também pela UERJ. Publicação: *A Anáfora direta no gênero digital comentário: a variação do nome (o referente) e seus determinantes condicionados*

à comunidade de prática no site Facebook. Revista *A Cor das Letras*. Revista digital dos Programas de Pós-graduação do Departamento de Letras e Artes da Universidade Estadual de Feira de Santana (UEFS). V.20, n.1, P.81-106, janeiro-abril 2019. Professora do Colégio Santo Amaro.
E-mail: crnormandia@yahoo.com.br

Érica Portas

Mestre em Língua Portuguesa pela UERJ. Doutoranda em Língua Portuguesa também pela UERJ. Membro do Grupo de Estudos de Sistêmica e Discurso (GESD). Principais publicações voltadas para o ensino: *O marxismo e valorização do ensino da língua* em Cadernos do CNLF, p. 481-490; *A função modalizadora dos verbos dicendi no gênero textual* na revista *Philologus*, p. 24-35.
E-mail: portasrj@hotmail.com

Higor Everson Araujo Pifano

Mestre e doutorando em Letras pela UERJ. O autor é professor de Língua Portuguesa na rede pública estadual de Minas Gerais e especialista na área de avaliação externa pela Fundação Centro de Políticas Públicas e Avaliação da Educação (Fundação CAEd) da Universidade Federal de Juiz de Fora (UFJF), com experiência na condução de formações para profissionais da educação em mais de 17 estados brasileiros. Além disso, integra bancas de coordenação de exames de seleção para cursos de pós-graduação, certificação de jovens e adultos e alfabetização.
E-mail: higorpifano@gmail.com

Hilma Ribeiro de Mendonça Ferreira

Doutora em Língua Portuguesa, professora adjunta do CAp/UERJ, atuante no Ensino Básico e na Graduação

em Letras. Suas pesquisas versam sobre o ensino de Língua Portuguesa no Ensino Básico. Membro integrante dos grupos de pesquisa: LEDEN – Linguagem e Educação: Ensino e Ciência e IN.TE.GRA (UERJ/UFF) – Interação, Texto e Gramática. Tem artigos e capítulos de livros publicados em diferentes revistas da área.
E-mail: hilmaribeiro1976@gmail.com

Leila Figueiredo de Barros

Doutora em Língua Portuguesa pela UERJ; Professora Adjunta de Língua Portuguesa da Secretaria de Estado de Educação de Mato Grosso (SEDUC-MT). Participa dos grupos de pesquisa IN.TE.GRA (UERJ/UFF) e Fundação Centro de Políticas Públicas e Varia-Idade (UERJ/Universidade de Heidelberg). Tem artigos publicados em revistas especializadas, assim como capítulos de livros. É especialista em Educação de Jovens e Adultos.
E-mail: leilamie@hotmail.com

Manoel Felipe Santiago Filho

Mestre em Língua Portuguesa pela UERJ, é professor da rede pública de ensino no município de Nova Iguaçu, no Rio de Janeiro. Tem formação em Português e Grego pela UFRJ; atua como pesquisador da Língua Portuguesa em textos escritos. Membro do grupo de pesquisa IN.TE.GRA (UERJ/UFF).
E-mail: manoelfelipesf@gmail.com

Neiva de Souza Boeno

Doutora e Mestra em Estudos de Linguagem pela Universidade Federal de Mato Grosso (UFMT). Licenciada em Letras pela UFMT (1999). Especialista em novas perspectivas do fazer pedagógico pelo Instituto Cuiabano de Educação – ICE (2000); Especialista em Tecnologias em Educação pela Pontifícia Universidade Católica do Rio de Janeiro – PUC/RJ (2010). Professora efetiva da rede estadual de Mato Grosso (SEDUC-MT) e municipal de Cuiabá (SME-Cuiabá), desde 2000. Fez estágio de doutorado na Università del Salento (UNISALENTO), em Lecce, na Itália, pelo Programa CAPES/PSDE 2016/2017; e desenvolveu pesquisa na Università degli Studi di Bari (UNIBA), em Bari, na Itália, como bolsista do Progetto GLOBAL-DOC 2017/2018. Membro fundadora do Grupo "Ágape: nascemos para escrever" (2015), juntamente com o Prof. Dr. Luciano Ponzio (UNISALENTO) e Profa. Dra. Lucimeire da Silva Furlaneto (SEDUC-MT). Desde 2008, tem escrito artigos científicos e capítulos de livros nas temáticas centradas em Educação, Linguística, Literatura, Programas Educativos, Estudos Bakhtinianos e Estudos Lispectorianos. Na função de organizadora participou da tradução do livro *Visões do Texto* (publicado pela Editora Pedro & João, São Carlos-SP, em 2017), e na função de revisora dos aparatos textuais participou da tradução do livro *Ícone e afiguração. Bakhtin, Malevitch, Chagall* (publicado pela Editora Pedro & João, São Carlos-SP, em 2019), ambos os livros são de autoria de Luciano Ponzio (Pesquisador, Professor e Artista, de Bari, na Itália). Tem contribuído para aprofundar o conhecimento da Teoria de Bakhtin no Brasil, traduzindo artigos de Augusto Ponzio e Luciano Ponzio. Dentre esses textos, encontra-se uma das primeiras entrevistas realizada com Augusto Ponzio, no Brasil, intitulada *Augusto Ponzio: Come parlare delle alle parole*, também traduzida para a Língua Portuguesa com o título *Augusto Ponzio: Como falar das às palavras*; as duas versões foram publicadas na revista *Polifonia*, v. 20, n. 27, de 2013 (disponível *on-line*), com a intenção de contribuir para a difusão do pensamento do filósofo

da linguagem e Professor Emérito da Universidade de Bari.
E-mail: professoraneivaboeno@hotmail.com

Izilene Leandro da Silva

Doutoranda em Língua Portuguesa pela UERJ. Mestrado em Estudos de Linguagem pela Universidade Federal de Mato Grosso (UFMT), em Cuiabá, Mato Grosso. É professora efetiva da rede estadual de ensino de Mato Grosso, desde 2011, pela Secretaria de Estado de Educação de Mato Grosso (SEDUC-MT). Leciona na Escola Estadual Gov. Julio Strubing Muller, na cidade de Várzea Grande, Mato Grosso, e atua como professora de Português, Espanhol e Inglês, desde 2007. Sua produção bibliográfica mais importante é o artigo intitulado *Learning with life: uma experiência de ensino de inglês*, publicado nos Anais Eletrônicos do XVII EPI – O professor Pesquisador, v.1, p. 145-151, 2015. Desde 2012 é integrante do Projeto *Universidade, Escola e Comunidade: Teorizando e Redesenhando Práticas Pedagógicas para Novos Letramentos no Ensino Crítico de Línguas Estrangeiras*, ligado ao Programa de Pós-Graduação em Estudos de Linguagem, da UFMT.
E-mail: izileneleandro@yahoo.com.br

Valeria Cristina de Abreu Vale Caetano

Doutora em Língua Portuguesa pela UERJ, Mestre em Literatura Brasileira também pela UERJ. Bolsista do CNPq. Professora Titular aposentada do Departamento de Português e Literaturas do Colégio Pedro II. Possui experiência na Educação Básica, no Ensino Superior e na Pós-Graduação. Atuou como Supervisora da área de Língua Portuguesa do Programa de Residência Docente da Pró-Reitoria de Pós-Graduação, Pesquisa, Extensão e Cultura do Colégio Pedro II. Atua como professora do Curso de Extensão de Redação de Língua Portuguesa para Fins Acadêmicos para alunos da Graduação, Mestrado e Doutorado (UERJ). Produção bibliográfica mais significativa: capítulo "A Construção do Sujeito através da Literatura" no livro do X Fórum de Estudos Linguísticos e Literários: Língua Portuguesa, descrição e ensino: diálogos. Publicações Dialogarts; capítulo "Oficina da Palavra: pelos caminhos das linguagens" do Livro *Diálogos Intersemióticos Vol. II – Publicações Dialogarts*; capítulo "Leitura de fábulas sob a perspectiva intertextual com alunos do 6º ano do Ensino Fundamental do Colégio Pedro II" do livro *A literatura, o ensino e o jovem no século XXI*. Oficina Raquel (2016); "Dicção da leitura na contemporaneidade", publicação da Revista *LER* da Leitura em Revista, nº 10. Instituto Interdisciplinar de Leitura PUC-RIO e CÁTEDRA UNESCO DE LEITURA (2016); capítulo "Práticas de leitura sob a perspectiva intertextual com alunos do 6º ano do Colégio Pedro II" do livro *O novo velho Colégio Pedro II* (2017) "Intertextualidade: uma contribuição para o ensino de produção escrita" publicado nos Anais do II Seminário Internacional de Estudos sobre Discurso e Argumentação (SEDIAR) Universidade de Buenos Aires. Editus – Editora da Universidade Estadual de Buenos Aires (2018), capítulos "As 'narrativas breves' de Marina Colasanti e a formação de leitores: uma perspectiva intertextual" e "Práticas de leitura literária sob a perspectiva intertextual com alunos da escola básica" do livro *Notas sobre literatura, leitura e linguagem* (2019). Desenvolve pesquisas nas áreas de Língua Portuguesa e Literatura, com ênfase na formação do leitor. Integra a equipe dos Grupos de Pesquisa: Literatura e outras linguagens na Escola Básica: letramento literário e a formação continuada do professor (LITESCOLA), Integra Interação, Texto e Gramática (UERJ/UFF) e Semiótica,

Leitura e Produção de Textos (SELEPROT). Participou na Comissão para a Implantação do Trabalho de Pesquisa no Colégio Pedro II e na Elaboração do Plano Geral de Ensino de Literatura do Primeiro Segmento do Ensino Fundamental do Projeto Político Pedagógico do Colégio Pedro II.
E-mail: valeriacristinacaetano@yahoo.com.br